Conceitos de educação em Paulo Freire

Glossário

Dados Internacionais de Catalogação na Publicação (CIP)
(Câmara Brasileira do Livro, SP, Brasil)

Vasconcelos, Maria Lucia
    Conceitos de educação em Paulo Freire :
glossário / Maria Lúcia Vasconcelos, Regina Helena
Pires de Brito. 6. ed. – Petrópolis, RJ : Vozes :
São Paulo, SP : Mack Pesquisa – Fundo Mackenzie
de Pesquisa, 2014.

    4ª reimpressão, 2022.

    ISBN 978-85-326-3322-4

    1. Educação – Glossários, vocabulários etc.
2. Freire, Paulo, 1921-1997 I. Brito, Regina Helena
Pires de. II. Título.

06-1952   CDD-370.3

Índices para catálogo sistemático:

1. Educação : Freire , Paulo : Conceitos :
    Glossários   370.3
2. Freire, Paulo : Educação : Conceitos :
    Glossários   370.3

Maria Lucia Vasconcelos
Regina Helena Pires de Brito

Conceitos de educação em Paulo Freire

Glossário

Colaboração
Eneila Almeida dos Santos
José Carlos Jadon
Lucélia Magalhães Neves Batista
Luci Fumiko Matsu Chaves
Marcilene de Assis Alves Araújo
Maria de Fátima Lourenço Nunes
Maria Rebeca Ramirez Ramirez
Nilza Aparecida Tabai
Patrícia Antonia Rodrigues Quel
Renata Jubran Pedroso
Sérgio de Godoy Peres
Silvana Rossi Spitzcovsky
Thelma Jelen Abbate
Wilma Maria Sampaio Lima
Wilson do Amaral Filho

São Paulo

Petrópolis

© 2006, Editora Vozes Ltda.
Rua Frei Luís, 100
25689-900 Petrópolis, RJ
www.vozes.com.br
Brasil

Em coedição com:

Fundo Mackenzie de Pesquisa
Rua da Consolação, 896
01302-907 São Paulo, SP
www.mackenzie.com.br/mackpesquisa

Todos os direitos reservados. Nenhuma parte desta obra poderá ser reproduzida ou transmitida por qualquer forma e/ou quaisquer meios (eletrônico ou mecânico, incluindo fotocópia e gravação) ou arquivada em qualquer sistema ou banco de dados sem permissão escrita da editora.

CONSELHO EDITORIAL

Diretor
Gilberto Gonçalves Garcia

Editores
Aline dos Santos Carneiro
Edrian Josué Pasini
Marilac Loraine Oleniki
Welder Lancieri Marchini

Conselheiros
Elói Dionísio Piva
Francisco Morás
Ludovico Garmus
Teobaldo Heidemann
Volney J. Berkenbrock

Secretário executivo
Leonardo A.R.T. dos Santos

Editoração: Ana Kronemberger
Diagramação: AG.SR Desenv. gráfico
Capa: Omar Santos
Imagem de capa: Foto de Paulo Freire (Gentilmente cedida por Ana Maria Freire, sua esposa.)

ISBN 978-85-326-3322-4

Este livro foi composto e impresso pela Editora Vozes Ltda.

Sumário

Prefácio, 11

Apresentação, 17

Glossário de conceitos relativos à educação sob a ótica de Paulo Freire, 21

Abordagem crítica, 31

Absolutização da ignorância, 31

Abstração, 32

Ação antidialógica, 33

Ação extensionista, 34

Ação libertadora, 34

Ações terroristas, 35

Acomodação, 36

Acriticidade, 36

Adaptar, 37

Ad-mirar, 37

Agente da mudança, 37

A-histórico, 38

Ajustamento, 38

Alfabetização, 38

Alfabetização crítica, 40

Alfabetização e educação, 41

Alienação, 42

Alienação da ignorância, 42

Amor, 43

Analfabetismo e injustiça, 43

Anestesia histórica, 44

Antidiálogo, 44

Aprender, 45

Aprendizagem, 46

Assistencialismo, 46

Ativismo, 47

Ato comprometido, 48

Atos de ensinar e de aprender, 48

Atos-limites, 48

Autodesvalia, 49

Autonomia, 49

Autoritarismo e licenciosidade, 50

Avaliação pedagógica, 50
Bom professor, 51
Capacitação técnica, 52
Cidadania, 52
Círculo de cultura, 53
Codificação pedagógica, 54
Coerência, 54
Compreensão amorosa da vida, 55
Compromisso, 56
Compromisso profissional, 56
Comunicação, 57
Comunicado, 58
Comunicar, 58
Condicionamento, 59
Conhecer, 59
Conhecimento, 59
Conhecimento novo, 60
Conquista, 61
Consciência bancária, 61
Consciência crítica, 62
Consciência do mundo, 62
Consciência ingênua, 63
Consciência intransitiva, 63
Consciência mágica, 64
Consciência transitiva, 64
Conteúdo programático, 65
Coragem, 66
Criticidade, 66
Criticidade vesga, 66
Cultura, 67
Curiosidade, 68
Curiosidade epistemológica, 69
Currículo, 70
Decisão, 71
Depósito, 71
Desesperança, 71
Diabolizar, 72
Dialogação, 72
Dialogismo, 72
Diálogo, 73
Diálogo pedagógico, 74
Diretividade, 75
Diretividade e educação, 76
Disciplina, 77
Disciplina, autoridade e liberdade, 78
Discriminação, 79
Disponibilidade, 80
Distanciar-se, 80
Dodiscência, 81
Domesticação alienante, 81
Dominador, 82
Doxa, 82
Educação, 83

Educação bancária, 83

Educação como prioridade, 84

Educação da esperança, 85

Educação desinibidora, 86

Educação em direitos humanos, 86

Educação imposta, 88

Educação libertadora, 88

Educação permanente, 91

Educação popular, 91

Educação problematizadora, 91

Educação verbosa, 93

Educador democrático, 93

Educador-educando, 94

Educador progressista, 94

Educador reacionário, 95

Educar-se, 96

Engajamento, 97

Ensinar, 97

Ensinar e aprender, 98

Ensinar e pesquisar, 99

Entendimento dialético, 100

Erro, 100

Escola alegre e leve, 102

Escrever gostoso, 102

Escutar, 103

Espaço de trabalho, 104

Especialismos estreitos, 105

Esperança, 105

Estar no mundo, 107

Estética da linguagem, 107

Ética universal do ser humano, 108

Evasão e fracasso escolar, 109

Exílio, 110

Existir, 111

Feminismo, 112

Focalista, 113

Formação do educador, 113

Fracasso escolar, 114

Futuro, 114

Generosidade do opressor, 114

Globalização, 115

Gramaticoide, 115

Gueticização das minorias, 116

História, 117

Homem, 118

Homem como objeto da ação educativa, 120

Homem como um ser de relações, 120

Homem desenraizado, 121

Homem e sua época, 121

Homem-lata, 122
Homem mágico, 122
Homem no mundo, 123
Homem radical, 123
Humanidade, 123
Humanismo, 124
Humildade, 124
Ideologia fatalista, 125
Inédito viável, 125
Informação/formação, 126
Inquietar o orientando, 127
Inserção crítica, 127
Integração, 128
Invasão cultural, 128
Latifúndio, 130
Leitura de mundo, 130
Leitura verdadeira, 132
Ler, 132
Ler um texto, 132
Libertação, 133
Libertação autêntica, 134
Limite, 134
Limites da liberdade, 135
Língua, 136
Localidade dos
   educandos, 137
Logos, 137
Manipulação, 137
Manutenção do *status
   quo*, 138

Massificação, 138
Mídia, 139
Minoria, 139
Morte da história, 140
Mudança, 140
Multiculturalidade, 141
Mundo, 142
Mutismo, 143
Neutralidade, 143
Nitidez política, 144
Novo saber, 145
Opção libertadora, 145
Opressor, 146
Oprimido, 146
Palavra, 147
Palavra geradora, 147
Partir do saber, 148
Paulo Freire por ele
   mesmo, 148
Pedagogia crítica, 149
Pedagogia crítica e
   radical, 150
Pedagogia do desejo, 150
Pedagogia do oprimido, 152
Pensamento mágico, 153
Pensar, 153
Pensar certo, 154
Percepção parcializada, 154
Persuadir, 155

Pluralidade, 155

Politicidade da educação, 156

Prática educativa, 156

Práxis, 157

Práxis revolucionária, 158

Prescrição, 159

Problematização, 160

Professor autoritário, 161

Quefazer, 162

Racismo, 162

Radicalização, 163

Realidade, 164

Receitas, 164

Re-fazer, 165

Reflexão crítica sobre a prática, 165

Relação dialógica, 165

Relação entre alfabetização e emancipação, 166

Relativização do saber, 167

Renunciar ao ato invasor, 167

Resistência à prática bancária, 168

Respeitar os diferentes discursos, 168

Revolução cultural, 169

Sabedoria, 170

Saber, 170

Saber democrático, 171

Saber ingênuo, 171

Saberes e prática progressista, 172

Saber-se no mundo, 172

Sectarização, 172

Ser alienado, 173

Ser de relações, 174

Ser dialógico, 174

Ser imerso no mundo, 174

Ser inacabado, 175

Ser inadaptado, 176

Ser mais, 176

Signos linguísticos, 177

Silêncio, 178

Síntese cultural, 178

Situação educativa, 179

Situações-limites, 179

Sociedade alienada, 180

Sulear, 180

Tarefa de um educador, 181

Temas geradores, 182

Tempo de trânsito, 182

Tempo perdido, 183

Temporalidade, 184

Temporizar, 184

Teoria da não extensão do conhecimento, 185

Tolerância, 185

Tomada de consciência, 187

Transcendência, 187

Transição, 188

Transitividade crítica, 189

Trânsito, 190

Universidade, 190

Validade do ensino, 192

Valorização do educador, 192

Verdadeira aprendizagem, 193

Referências, 195

Prefácio

As propostas pedagógicas de Paulo Freire, marcadas por ousadia, originalidade e coerência, alçaram-no à condição de estrela de primeira grandeza na cultura brasileira. A intensidade com que sua obra reverbera em nosso cenário educacional comprova a solidez de sua produção bibliográfica e permite antever, com segurança, sua permanência junto às futuras gerações de pesquisadores.

O domínio absoluto sobre o discurso, próprio de quem tem clareza nas ideias e presteza nas ações, transforma o conjunto da obra de Paulo Freire em uma fonte de pesquisa praticamente inesgotável, para a qual convergem olhares dos estudiosos de Educação e de áreas afins, no Brasil e no exterior. É bastante reduzido o número de autores que obtêm, ainda em vida, o reconhecimento necessário para que suas obras façam parte da fundamentação teórica essencial em seu campo de atuação, incluindo-se, dessa forma, entre as obras de referência. Tal foi, merecidamente, o caso de Paulo Freire. Suas reflexões enraízam-se em situações e práticas educacionais, mas sempre extrapolam os limites da Educação, ou melhor, diluem as fronteiras entre essa e outras áreas das ciências humanas e sociais. Pensador que sempre vislumbrou amplos horizontes, pregando o diálogo, buscando a mudança, discutindo o conflito, Paulo Freire contribuiu para aprimorar a percepção de que ensinar pressupõe, por um lado, respeitar o ser humano em sua individualidade e, por outro, tentar superar obstáculos que, à primeira vista, parecem intransponíveis.

Não é fácil adentrar os meandros do legado de Paulo Freire. Ele registrou uma produção extensa, desenvolvida ao longo de décadas de aguda observação da vida nacional, realizada *in loco* ou a partir de outros países, inclusive da África, para onde circunstâncias políticas o enviaram, e de onde sua obra pôde se irradiar para outras comunidades. Seus conceitos explicitam-se em sua ótica de grande humanista, adepto da consideração e do respeito irrestrito pelo ser humano, visto sempre como merecedor de uma educação que o preserve em sua integridade – moral, cultural, física, psicológica, linguística. Os conceitos afirmam-se e interagem no dinamismo de uma obra que vivificou a teoria sobre a educação e que pode ser contemplada a partir de diferentes perspectivas, em suas permanências e mudanças, sem a perda dos princípios que a nortearam.

Ante o desafio proporcionado pela riqueza do legado de Paulo Freire, e em decorrência de sua amplitude, desenvolveu-se este *Glossário*. Trata-se do resultado de ações que visaram recolher, em seara tão pródiga, uma porção delimitada e ao mesmo tempo significativa de conceitos discutidos em seus livros.

Em que consiste um *glossário*? O termo comporta várias acepções. Segundo Antônio Houaiss[1], pode abranger um conjunto de vocábulos de uma área do

---

1. HOUAISS, Antônio. *Dicionário Eletrônico da Língua Portuguesa*. Rio de Janeiro: Objetiva, 2002.

conhecimento com seus significados, ou compor-se de um pequeno léxico agregado a uma obra para esclarecer termos de difícil compreensão. Pode, ainda, consistir em um conjunto de palavras de sentido obscuro ou pouco conhecido, ou, como ocorre atualmente em informática, ser um utilitário de processadores de texto para frases e expressões muito usuais, encontradas em documentos. Sem corresponder exatamente a uma das acepções, mas mesclando-as, o presente glossário tem por objetivo reunir vocábulos de uma área do conhecimento de indiscutível relevância, a da Educação, conforme estes se apresentam na produção bibliográfica de Paulo Freire, um de seus maiores expoentes. Ainda levando em conta as mesmas acepções de glossário, constata-se que, felizmente, tais vocábulos não correm o risco do obscurantismo ou da dificuldade de compreensão, não sendo esse, portanto, o motivo de sua elaboração. Ao contrário, verifica-se frequentemente o emprego de palavras e expressões a que Freire atribuiu um sentido específico, e que, tornadas usuais, merecem ser reencontradas nas respectivas fontes bibliográficas. Mais do que usuais, muitas das expressões que ele cunhou já se estabeleceram de modo definitivo em nosso meio. No presente glossário, cada termo se apresenta no contexto de uma obra, devidamente identificada, acompanhado de um breve comentário de caráter elucidativo ou interpretativo.

Destacam-se no glossário termos como *alfabetização* (marco inicial da visibilidade das reflexões originais de Paulo Freire), *cidadania, consciência, diálogo, educação* – em especial a *educação libertadora* –, *pedagogia do oprimido* e outros termos definidos por ele em sua ótica aguçada e especialíssima. Apresentam-se também vocábulos e expressões como *invasão cultural, ra-*

13

cismo ou sectarismo, que dele receberam uma visão crítica que, sem autoritarismo, tenta estabelecer balizas éticas indispensáveis à ação pedagógica e ao exercício pleno da cidadania.

A elaboração de um glossário, tarefa árdua e demorada, exige, sempre que possível, um trabalho de equipe. O glossário que ora se traz a público foi idealizado pela Profa.-dra. Maria Lucia M. Carvalho Vasconcelos, que, nas aulas da disciplina "Organização discursiva do texto pedagógico", ministrada para alunos de três programas de mestrado – o de Distúrbios do Desenvolvimento; o de Educação, Arte e História da Cultura; e o de Letras – na Universidade Presbiteriana Mackenzie, atentou para a possibilidade de criar um material de referência adequado aos que se iniciam no estudo da obra de Paulo Freire. Contou com a parceria da Profa.-dra. Regina Helena Pires de Brito, docente do mestrado em Letras na mesma instituição, e do grupo de mestrandos, cujos nomes constam da equipe de colaboradores.

Resultado de uma prática docente, este glossário constitui-se em feliz exemplo do que se entende por integração entre ensino, pesquisa e extensão na universidade. Reflexões advindas da sala de aula apontaram para a oportunidade de se circunscrever um conjunto de conhecimentos que, devidamente sistematizados, colocam-se neste livro à disposição de quem pretende acercar-se de conceitos básicos da bibliografia freireana.

Percorrer as páginas do *Conceitos de educação em Paulo Freire: glossário* é deixar-se encantar pelo domínio do texto e pela clareza de ideias do grande mestre, reencontrando sua visão de mundo humanitária e generosa, voltada para a integridade do ser humano.

Na amplitude da obra de Paulo Freire originou-se a motivação para este livro. Reconhecendo suas peculiaridades, este glossário não se concebe como um trabalho fechado ou concluído, mas como uma etapa finda no incessante processo de reconhecimento e aproximação de uma obra que suscita e continuará a suscitar leituras, indagações, discussões. Obedece a uma clara delimitação que significa, evidentemente, a ausência de qualquer intenção de completude ou esgotamento. Trabalho de caráter prático, composto a partir de uma pesquisa coletiva, este glossário surge como instrumento para acesso à riqueza dos textos de Paulo Freire. Nele não caberia a pretensão de uma seleção com base na obra integral – trabalho para uma megaequipe de pesquisadores – nem o recorte exaustivo dos termos, tarefa impensável e mesmo contrária ao espírito desse grande pensador da educação brasileira. Em seus objetivos claramente delineados e em conformidade com os limites propostos, o *Conceitos de educação em Paulo Freire: glossário* certamente proporcionará maior segurança aos estudiosos que ingressam nesse verdadeiro monumento bibliográfico da cultura brasileira, que é a obra de Paulo Freire.

Helena Bonito C. Pereira

Apresentação

Atenta à tipologia do discurso pedagógico, a presente obra é um dos resultados de projeto da pesquisa, desenvolvida juntamente com mestrandos dos programas de pós-graduação em Letras; em Educação, Arte e História da Cultura; e em Distúrbios do Desenvolvimento da Universidade Presbiteriana Mackenzie, iniciado no 1º semestre de 2002. Esses três mestrados têm em comum a preocupação com a formação do professor para o Ensino Superior, sendo esta preocupação o fio que engendrou a teia de nossas discussões.

Ao cursarem a disciplina optativa "Organização discursiva do texto pedagógico"[1], o grupo de mestrandos, integrados ao grupo de pesquisa capitaneado pelas autoras deste trabalho, procederam todos à discussão e à análise de algumas das obras de Paulo Freire, fundamentando-se tanto em sua visão educacional como em seu modo de organização nas questões discursivas e na maneira de inscrição do discurso da alteridade na subjetividade constitutiva do fio discursivo.

De acordo com o CNPq, um grupo de pesquisa reúne "um conjunto de indivíduos organizados hierarquicamente em torno de uma ou, eventualmente,

---

1. Ministrada pela Profa.-dra. Maria Lucia Vasconcelos.

duas lideranças. [...São pesquisadores e seus estudantes, norteados por linhas de pesquisa] segundo uma regra hierárquica fundada na experiência e na competência técnico-científica"[2], produzindo, em conjunto, o conhecimento científico.

O mestrado em Letras da UPM, ao qual ambas pertencemos, tem como uma de suas linhas de pesquisa *O processo discursivo e a produção textual e* "enfatiza o estudo dos mecanismos intradiscursivos de constituição do sentido do discurso e do texto, sem deixar, no entanto, de levar em conta seu dialogismo constitutivo e, principalmente, os modos de inscrição do discurso do Outro no fio discursivo"[3].

Todo sistema de educação, como afirma Foucault (1998: 44), "é uma maneira política de manter ou de modificar a apropriação dos discursos, com os saberes e os poderes que eles trazem consigo". Explorar, portanto, a oportunidade de aprofundar o conhecimento acerca do discurso de Paulo Freire, aproximando-nos de seus saberes e seus poderes, pareceu-nos justificativa suficiente para que se instalasse, no espaço interdisciplinar que a formação/atualização de professores possibilita, um grupo de pesquisa formalmente constituído para estudar a obra e, nela, o discurso freireano.

O grupo de pesquisa, instalado em 2002, produziu diversos trabalhos, como as duas edições das "Semanas de Educação", eventos organizados e apresentados aos alunos do curso de Pedagogia da Faculdade de Filosofia, Letras e Educação da UPM, pelos mestrandos

---

2. www.cnpq.gov.br, consultada em 27/12/2004.

3. www.mackenzie.com.br, consultada em 27/12/2004.

integrantes deste grupo. A constante presença de Paulo Freire em suas dissertações de mestrado é outro resultado dos estudos realizado pelo grupo.

Concluído nosso trabalho, precisamos registrar alguns agradecimentos muito especiais.

Em primeiro lugar, somos gratas aos mestrandos-pesquisadores, que conosco trabalharam, auxiliando-nos, com entusiasmo e seriedade, ao longo de todo o processo desta pesquisa.

Somos gratas, também, à Profa. Ana Maria Araújo Freire, interlocutora atenta, que nos ofereceu seus comentários (todos aceitos e incorporados) e nos deixou um pouco mais "próximas" de nosso autor e sua obra.

Agradecemos, finalmente, o apoio que nos foi dado pelo Mackpesquisa (Fundo de Pesquisa Mackenzie), que nos possibilitou a finalização desta pesquisa.

As autoras

Obs.: Ao longo deste trabalho, muitas vezes o termo "homem" foi utilizado no sentido genérico, com o significado de "homem *e* mulher". Algumas das citações que aqui aparecem são de obras nas quais Paulo Freire ainda entendia, erroneamente segundo ele próprio, que ao se utilizar, genericamente, do masculino, estaria incorporado o gênero feminino. Em *Pedagogia da esperança*, no entanto, ele faz esta solicitação: incluir "mulher" quando fosse o caso.

Glossário de conceitos relativos à educação sob a ótica de Paulo Freire

Maria Lucia Vasconcelos*
Regina Helena Pires de Brito**

O que se exige eticamente de educadoras e educadores progressistas é que, coerentes com seu sonho democrático, respeitem os educandos e jamais, por isso mesmo, os manipulem (Paulo Freire).

Analisar o discurso de Paulo Freire é, fatalmente, apaixonar-se por ele. A sua relação fácil, lúdica, amorosa com as palavras fazem dele um autor privilegiado, dono de um discurso fluente e reflexivo, que atrai, prende e absorve seus leitores e leitoras. E mais, com suavidade, o texto leva esses leitores e leitoras a dialogarem com o autor, profundamente enredados que estarão com as ideias que lhes são apresentadas.

Com características peculiares à estruturação discursiva do texto pedagógico, como a circularidade, o tom assertivo e a repetição e, também, a ludicidade,

---

* Pedagoga, é professora titular do Programa de Pós-Graduação em Letras da Universidade Presbiteriana Mackenzie.

** Linguista, é professora titular do Programa de Pós-Graduação em Letras da Universidade Presbiteriana Mackenzie.

o discurso freireano é, acima de tudo, democrático[1] e polissêmico, conseguindo, por meio de uma cuidadosa e proposital simplicidade, ser filosoficamente profundo e eticamente comprometido. Nenhuma palavra é, em seu texto, colocada ao acaso, nenhuma expressão é injustificada, assim como nenhuma repetição é redundante, excessiva ou desnecessária. Sua assertividade, longe de ser autoritária, é, ao contrário, instigadora, um convite sempre presente à reflexão, ao diálogo, à polissemia; é a assertividade daqueles que conhecem o que dizem e vivem, com coragem, aquilo em que acreditam.

No entanto, ainda hoje, na escola brasileira, contrariamente ao preconizado por Freire, o discurso pedagógico vem quase sempre carregado de autoritarismo, "se apresenta como um discurso autoritário, logo, sem nenhuma neutralidade[2] [...] um dizer institucionalizado sobre as coisas, que se garante, garantindo a instituição em que se origina e para a qual tende: a escola" (ORLANDI, 1987: 22 e 26). Segundo Pey (1988), esse discurso autoritário é fruto do silêncio imposto pelos grupos sociais dominantes às classes menos favorecidas, sem qualquer preocupação com o desenvolvimento do senso crítico ou com o repúdio ao conformismo. É contra este tipo de discurso autoritário que Paulo Freire se posiciona, e depois dele tantos outros educadores (famosos ou anônimos) assim também o fizeram e seguem fazendo-o.

---

1. "O educador, num processo de conscientização (ou não), como homem, tem o direito a suas opções. O que não tem é o direito de impô-las" (FREIRE, 1992: 78).

2. "Não há neutralidade nem mesmo no uso mais aparentemente cotidiano dos signos" (ORLANDI, 2000: 9).

Como decorrência das leituras e debates acerca de algumas das obras de Paulo Freire, travados ao longo do curso, citado no texto de apresentação deste trabalho, e nos grupos de discussão e pesquisa, destacaram-se unidades lexicais em sua inserção no texto, comentando-se, cada uma, por meio dos efeitos de sentido produzidos na organização do discurso pedagógico freireano. Emerge daí o presente glossário, que procura espelhar, de um modo interpretativo, aspectos do seu pensamento.

Inquestionavelmente o maior educador brasileiro, mundialmente celebrizado, pesquisado e seguido, no contexto nacional, Paulo Freire parece necessitar, ainda, de um reconhecimento que se equipare, corresponda ou, pelo menos, venha a aproximar-se de sua importância. Tal reconhecimento, embora lhe seja conferido em alguns círculos de educadores, carece ainda de maior destaque, principalmente no dia a dia das salas de aula dos diversos cursos voltados para a formação do professor.

Coerente, Freire jamais traiu seus princípios, convicções e ideais. Até o fim de sua vida, acreditou nas palavras, e usou-as, com maestria, como instrumento de comunicação dialógica, respeitosa, mas inquietadora, magnetizante, fascinadora, levando a todas as partes do mundo o discurso de suas crenças.

> Não sou esperançoso por pura teimosia mas por imperativo existencial e histórico.
>
> Não quero dizer, porém, que, porque esperançoso, atribuo à minha esperança o poder de transformar a realidade e, assim convencido, parto para o embate sem levar em consideração os dados concretos, materiais, afirmando que minha esperança basta. Mi-

nha esperança é necessária, mas não é suficiente. Ela, só, não ganha a luta, mas sem ela a luta fraqueja e titubeia. Precisamos da esperança crítica, como o peixe necessita da água despoluída (FREIRE, 2000: 10).

Ninguém, como ele, trabalhou tão bem com as palavras na construção de uma proposta de alfabetização. Freire, mais do que se preocupar com o domínio das técnicas da leitura e da escrita, preocupava-se com a possibilidade de desvelar a todos os indivíduos sua capacidade de conhecer-se criticamente, condição inicial e indispensável, para além de conhecer, alterar o mundo que os cerca e abriga, acreditando que a mutabilidade desse ambiente é sempre possível:

> [...] através da problematização do homem-mundo ou do homem em suas relações com o mundo e com os homens, possibilitar que estes aprofundem sua tomada de consciência da realidade na qual e com a qual estão (FREIRE, 1992: 33).

> [...] quanto mais criticamente se exerça a capacidade de aprender tanto mais se constrói e se desenvolve o que venho chamando "curiosidade epistemológica", sem a qual não alcançamos o conhecimento cabal do objeto (FREIRE, 1996: 27).

Assumindo uma posição permanentemente dialógica, Paulo Freire permitia-se brincar com as palavras, construindo ou reconstruindo seus sentidos, dando-lhes nova vida, nova interpretação, sem com isso banalizar o conteúdo da mensagem que, sempre com muita responsabilidade, entregava ao diálogo com suas múltiplas plateias e incontáveis leitores.

[...] o espaço pedagógico é um *texto* para ser constantemente "lido", interpretado, "escrito" e "reescrito" (FREIRE, 1996: 109).

Falar do dito não é apenas re-dizer, mas reviver o vivido que gerou o dizer que agora, no tempo do redizer, de novo se diz. Redizer, falar do dito, por isso envolve ouvir novamente o dito pelo outro sobre ou por causa do nosso dizer (FREIRE, 2000: 17).

É assim que venho tentando ser professor, assumindo minhas convicções, disponível ao saber, sensível à boniteza da prática educativa, instigado por seus desafios que não lhe permitem burocratizar-se, assumindo minhas limitações acompanhadas sempre do esforço por superá-las, limitações que não procuro esconder em nome mesmo do respeito que me tenho e aos educandos (FREIRE, 1996: 80).

Por que mais um glossário da obra freireana?

Do ponto de vista lexicográfico, um glossário configura-se como um *dicionário de discurso* – "instrumento auxiliar de uma mais clara compreensão do texto e fonte de conhecimento de um estado de língua" (CRISPIM, 1990, apud BARBOSA, 1995: 3), caracterizado, portanto, por arrolar peculiaridades da fala, percebida como manifestação individual, produzida num tempo e lugar determinados.

Um glossário fornece informações específicas acerca de acepções utilizadas por determinado autor, tornando-se relevante instrumento facilitador para a compreensão de sua obra. Espera-se, ainda, que um glossário seja representativo da "situação lexical de um único texto manifestado, em sua especificidade léxico-semântica e semântico-sintáxica, em uma situação de enunciação e de enunciado, em uma situação de discurso exclusiva e bem determinada" (BARBOSA, 1995: 4).

Neste sentido, a importância de se pensar em mais um glossário da obra de Paulo Freire justifica-se plenamente em razão da inquestionável relevância da criação pedagógico-filosófica do próprio autor pesquisado, assim como pela peculiaridade do glossário ora apresentado, que acrescenta comentários interpretativos às citações de Freire. É este o aspecto que o diferencia, por exemplo, do glossário que acompanha a obra organizada por Moacir Gadotti – *Paulo Freire: uma biobibliografia* – São Paulo: Cortez; Brasília: Instituto Paulo Freire; Unesco, 1996.

Ressalve-se, no entanto, que a elaboração de um glossário supõe um certo grau de subjetividade, pois o levantamento e a seleção das ocorrências e, posteriormente, os comentários e explicações que a cada uma delas se dê, resvalam no conhecimento prévio do autor, da sua obra e das circunstâncias de produção representativas do seu universo discursivo: o glossário [...] deve recuperar, armazenar e compilar palavras-ocorrências de um *chronos*, de um *topos*, de uma *phasis*, ou, noutros termos, extraídas de um único discurso concretamente realizado (BARBOSA, 1995: 6).

No caso específico deste trabalho, o grupo apoiou-se no próprio autor estudado, para, assim, assumir, conscientemente, a subjetividade evidente (e inevitável) na seleção das *palavras-ocorrência* escolhidas e em seus comentários, fazendo uso de seus dizeres, quando este afirmava que o professor, por ter

[...] o que dizer deve assumir o dever de motivar, de desafiar quem escuta, no sentido de que, quem escuta diga, fale, *responda* [...] o espaço do educador democrático, que aprende a falar escutando, é *cortado* pelo silêncio intermitente de quem, falando, cala para escutar a quem, *silencioso,* e não *silenciado*, fala (FREIRE, 1996: 132).

Ousamos, assim, com base nos textos originais trabalhados, de onde trouxemos os exemplos constantes deste glossário, dar a nossa (re)interpretação de seus enunciados com o objetivo expresso de suscitar o interesse, principalmente do educador em formação, para a vasta e rica obra de nosso autor. Ficamos, também, com a certeza de que, aceito o desafio e iniciado este contato, cada um buscará, inevitavelmente motivado, beber, ele mesmo, da fonte primária, que, com sua riqueza polissêmica, certamente convidará ao diálogo cada novo leitor ou leitora.

Assim, um glossário, no seu sentido estrito,

• estuda vocabulários de textos particulares;

• não pretende ser exaustivo como um dicionário;

• não apresenta indicações sobre pronúncia de palavras, etimologia, classes gramaticais e exemplos de uso;

• reduz seu *corpus* ao vocabulário de um texto, de uma obra, de um autor;

• contém apenas entradas e definições.

Pelas próprias peculiaridades da obra de Paulo Freire, este *Glossário*, que não pretendemos acabado ou conclusivo, se concebe como uma etapa concluída, em conformidade com a delimitação da pesquisa proposta. No entanto, face à riqueza do material existente, é preciso reconhecer que outras etapas e/ou outros recortes podem somar-se, futuramente, ao glossário ora apresentado, que se constitui de ocorrências retiradas de algumas das obras componentes da vasta produção de Paulo Freire, iniciando um trabalho que procura evidenciar conceitos basilares da proposta pedagógica freireana.

Conforme ilustrado a seguir, cada entrada apresenta breve explanação, produto das discussões da equipe de pesquisadores. Em seguida, cita-se textualmente a forma como Paulo Freire utilizou cada expressão ou termo, retirada de uma ou mais de uma de suas obras contempladas por este glossário, sempre que elementos novos forem acrescentados. Para localização da fonte bibliográfica, indica-se, esquematicamente, primeiro a abreviação da obra e, depois, a página em que se encontra o texto na edição utilizada, conforme lista de abreviações a seguir:

1) (ALMLP) *Alfabetização: leitura do mundo leitura da palavra.*

2) (AH) *Aprendendo com a própria história.*

3) (CC) *Cartas a Cristina.*

4) (EC) *Extensão ou comunicação?*

5) (EM) *Educação e mudança.*

6) (EPL) *Educação como prática da liberdade.*

7) (PA) *Pedagogia da autonomia: saberes necessários à prática educativa.*

8) (PE) *Pedagogia da esperança.*

9) (PO) *Pedagogia do oprimido.*

10) (PSP) *Pedagogia dos sonhos possíveis* / Paulo Freire e Sérgio Guimarães.

ENTRADA ——→ **SABER:** Só existe a busca do saber onde há curiosidade, inquietação e humildade para reconhecer que nenhum saber é completo ou definitivo. Fora dessa busca, o indivíduo se aliena, deixa de ser e de buscar. Na educação bancária, o saber é a transferência do saber por aqueles que o julgam possuir, para aqueles que julgam nada saber. Diz-se transferência ou doação de saber porque não há interatividade ou dialogicidade envolvida neste processo.

comentário ——→

Citação de Paulo Freire

[...] o sentido do saber [é] uma busca permanente (EC: 52).

O saber se faz através de uma superação constante. O saber superado já é uma ignorância. Todo saber humano tem em si o testemunho do novo saber que já anuncia [...] (EM: 28).

Na visão bancária da educação, o "saber" é uma doação dos que se julgam sábios aos que julgam nada saber (PO: 58).

A

ABORDAGEM CRÍTICA: Não há como tomar contato com uma realidade em cujas práticas interagem experiências de vários indivíduos, sem considerar que todas estas vivências são moldadas, no decorrer do tempo, pelas transformações históricas, culturais, sociais e econômicas. A reinvenção de práticas e modelos não pode ignorar este contexto sob o risco de transformar-se em arbitrariedade social.

> ➤ Abordar criticamente as práticas e as experiências de outros é compreender a importância dos fatores sociais, políticos, históricos, culturais e econômicos relacionados com a prática e a experiência a ser reinventada. Em outras palavras, a reinvenção exige a compreensão histórica, cultural, política, social e econômica da prática e das propostas a serem reinventadas (ALMLP: 81).

ABSOLUTIZAÇÃO DA IGNORÂNCIA: Caracteriza todo aquele que se considera um sábio, assume a posição de conhecedor e impõe essa sua pretensa condição aos demais – àqueles que, para ele, nada sabem, acaba, por imposição, atribuindo aos demais a condição de ignorantes, transformando-os, imediata e automaticamente, em alvo de transferência do seu próprio saber. A instalação dessa sistemática levará à formação de uma consciência naquela coletividade (que não se autointitula sábia), de que ali todos são verdadeiramente ignorantes porque nada sabem. Tal realidade se torna evidente e constatável pela simples existência daquele sábio que lhes ensinará tudo o que conhece – daí a ideia de que ignorantes são os outros, a coletividade oprimida, e jamais a minoria opressora. Fala-se, assim, em absolutização da ignorância, atribuindo a terceiros, por convicção ideológica, a qualidade de ignorantes.

> ➤ Na visão "bancária" de educação, o "saber" é uma doação dos que se julgam sábios aos que julgam nada saber. Doação que se funda numa das manifestações instrumentais da ideologia da opressão – a absolutização da ignorância, que constitui o que chamamos de alienação da ignorância, segundo a qual esta se encontra sempre no outro (PO: 58).

ABSTRAÇÃO: É operação necessária à aprendizagem. O conhecimento é produzido não pela consciência ingênua, mas pela consciência crítica. A consciência ingênua constata a existência dos fatos, mas não produz opiniões sobre o percebido. Já a consciência crítica, fruto da curiosidade epistemológica, é penetrante e capaz de abstrair a condição vivida para perceber a desejada. Não só vai se aprofundando no objeto que é isolado para estudo, mas o reintegra e relaciona novamente ao contexto real de onde foi recortado. O conhecimento produzido por essa abstração é que permite a inteligibilidade e a comunicabilidade entre os indivíduos. Aponta para o fato de que o saber não se esgota, é um contínuo recomeçar.

> ➤ [...] é a operação pela qual o sujeito, num ato verdadeiramente cognoscente, como que retira o fato, o dado concreto do contexto real onde se dá e, no contexto teórico, submete-o à sua ad-miração. Aí, então, exerce sobre o dado a sua cognoscibilidade, transformando-o de objeto "ad-mirável" em objeto "ad-mirado". Na verdade, o que

ocorre agora, no contexto teórico, é a re-ad-miração da ad-miração anterior, que fez o sujeito quando em relação direta com o empírico se encontrava (PSP: 44).

Daí que a consciência ingênua, sendo abstrata, não fará abstração, enquanto a crítica, inserindo-se concretamente na realidade, abstraia para conhecer (PSP: 43).

Isso significa, exatamente, que a abstração que faz a consciência crítica para conhecer não implica ruptura com situações objetivas, mas, pelo contrário, uma aproximação a elas (PSP: 44).

Se a ad-miração do real que, implicando um afastamento que dele faz o sujeito para, objetivando-o, transformá-lo e conhecê-lo e, assim, com ele ficar, a re-admiração da ad-miração, que se dá no contexto teórico, implica não só o reconhecer o conhecimento anterior, mas o conhecer porque conheço (PSP: 44).

Não me lembro, mas eram muito coloridos; muito fortes. Aliás, quando começamos a projetar os slides, um camponês chileno fez uma reflexão interessantíssima. Ele disse: "Esses quadros me sugerem calor". Como você vê, há nisso uma psicologia da cor. A cor associada aos trópicos, com muito verde, vermelho, muita fruta, flor, folha, transmite exatamente a sensação de calor. [...] No Brasil, em todos os lugares em que a gente discutiu esses quadros, jamais um camponês ou um operário urbano fez qualquer comentário sobre o irrealismo do quadro. [...] O brasileiro fazia imediatamente uma abstração. Ele sabia que na realidade não era assim (AH: 83-88).

AÇÃO ANTIDIALÓGICA: É, antes de mais nada, manipulação; é também um instrumento de conquista. Por meio da manipulação, as elites dominantes procuram conformar as massas populares a seus objetivos. Desta forma, quanto mais imaturas sejam as classes populares, mais facilmente se deixam manipular pelas elites dominadoras.

Na educação, é toda metodologia de ensino que não permite o intercâmbio de ideias, conceitos e valores entre os diversos atores da cena pedagógica (educadores e educandos). O educador que se utiliza de métodos antidialógicos é opressor e tem, como meta única, transmitir informações aos seus educandos, evitando, por razões ideológicas, a problematização dos temas tratados.

> ➤ Outra característica da teoria da ação antidialógica é manipulação das massas oprimidas. Como a anterior, a manipulação é instrumento da conquista, em torno de que todas as dimensões da teoria da ação antidialógica vão girando (PO: 144).
>
> [...] na teoria da ação antidialógica a elite dominadora mitifica o mundo para melhor dominar [...] (PO: 167).

AÇÃO EXTENSIONISTA: Caracteriza-se como uma "invasão" do opressor, ainda que se acredite ser uma ação messiânica, buscando organizar o mundo "caótico" do outro, fazendo-o semelhante ao seu.

> ➤ Envolve, qualquer que seja o setor em que se realize, a necessidade que sentem aqueles que a fazem, de ir até a "outra parte do mundo" considerada inferior, para, à sua maneira, "normalizá-la". Para fazê-la mais ou menos semelhante a seu mundo (EC: 20).

AÇÃO LIBERTADORA: Consiste numa utopia, idealizada como um bem comum para todos os homens.

É a liberdade para dizer "não" ao opressor que habita dentro de cada um. Se os oprimidos necessitam de educadores conscientes de seu papel libertador, a liberdade consiste em aprender a "ser mais" e a "devolver a humanidade roubada" àqueles que não têm consciência de a terem perdido. Para Paulo Freire, esta é a sagrada missão de todo educador consciente do seu papel social, o de despertar consciências para a realidade circundante.

> O objetivo da organização, que é libertador, é negado pela "coisificação" das massas populares, se a liderança revolucionária as manipula. "Coisificadas" já estão elas pela opressão.

Não é como "coisas", já dissemos, e é bom que mais uma vez digamos, que os oprimidos se libertam, mas como homens (PO: 177).

[...] na relativa experiência que temos tido com massas populares, como educador, com uma educação dialógica e problematizante, vimos acumulando um material relativamente rico, que foi capaz de nos desafiar a correr o risco das afirmações que fizemos.

Se nada ficar destas páginas, algo, pelo menos, esperamos que permaneça: nossa confiança no povo. Nossa fé nos homens e na criação de um mundo em que seja menos difícil amar (PO: 184).

A ação libertadora, pelo contrário, reconhecendo esta dependência dos oprimidos como ponto vulnerável, deve tentar, através da reflexão e da ação, transformá-la em independência [...] (PO: 53).

AÇÕES TERRORISTAS: Fica claro (embora Paulo Freire refira-se, especificamente, ao ataque terrorista dos árabes nas Olimpíadas de Munique) o seu posicionamento de negação desse tipo de ação, ao focalizar a ética universal do ser humano, que para ele deveria permear todos os atos da coletividade, mesmo no protesto.

> [...] são inaceitáveis "pois que delas resultam a morte de inocentes e a insegurança de seres humanos"; o "terrorismo nega [...] a ética universal do ser humano" (PA: 16).

ACOMODAÇÃO: É o procedimento passivo e não refletido de alguém que perdeu a capacidade de escolha e, por isso, ajusta-se ao que lhe é imposto; não cria, não recria, nem decide.

> Na medida em que o homem perde a capacidade de optar e vai sendo submetido a prescrições alheias que o minimizam e as suas decisões já não são suas, porque resultadas de comandos estranhos, já não se integra. Acomoda-se. Ajusta-se (EPL: 50 – nota de rodapé 4).
>
> A acomodação exige uma dose mínima de criticidade. [...] O problema do ajustamento e da acomodação se vincula ao do mutismo a que já nos referimos, como uma das consequências imediatas de nossa inexperiência democrática. Na verdade, no ajustamento, o homem não dialoga. Não participa. Pelo contrário, se acomoda a determinações que se superpõem a ele (EPL: 82).

ACRITICIDADE: Representa a incapacidade de ver o homem e o mundo com um olhar criticamente analítico. É a acomodação à realidade, é a alienação de ideais que torna o indivíduo descomprometido, incapaz de atuar em seu próprio mundo.

> Deformados pela acriticidade, não são capazes de ver o homem na sua totalidade, no seu quefa-

zer-ação-reflexão, que sempre se dá no mundo e sobre ele [...] (EM: 23).

ADAPTAR: Significa ajustar-se aos moldes existentes, sem a intenção de progredir e agregar valores.

> ➤ [...] Adaptar é acomodar, não transformar (EM: 32).

AD-MIRAR: Representa, a palavra "ad-mirar", mais que um simples olhar, o devassar da realidade pela objetivação e pela apreensão. É, ainda, procurar entendê-la profundamente em suas inter-relações. A mudança de percepção de uma realidade concreta necessita que o homem perceba o todo, aprofundando-se nessa percepção, conhecendo parte por parte, e voltando a construir o todo a fim de ser capaz de criticar e, consequentemente, de optar.

> ➤ A realidade significa objetivá-la, apreendê-la como campo de sua ação e reflexão. Significa penetrá-lo, cada vez mais lucidamente, para descobrir as inter-relações verdadeiras dos fatos percebidos (EC: 31).
>
> [...] Implica ad-mirá-la em sua totalidade: vê-la de "dentro" e, desse "interior", separá-la em suas partes e voltar a ad-mirá-la, ganhando assim uma visão mais crítica e profunda da sua situação da realidade que não condiciona [...] (EM: 60).

AGENTE DA MUDANÇA: Deve ser um processo coletivo, que inclui, também, o trabalhador social e não deve, portanto, ser feita apenas por alguns, geralmente os homens detentores do poder. Não existe um único agente de mudança, mas sim uma pluralidade de agentes.

> [...] Se sua opção é pela humanização, não pode então aceitar que seja o "agente da mudança", mas um de seus agentes (EM: 52).

A-HISTÓRICO: Diz-se de todo ser humano que, vivendo no mundo, não possui a consciência do seu papel na comunidade. Muitas vezes, uma pessoa, conformada com sua situação presente e com suas relações com o mundo, não produz nada de significativo para si ou para os outros.

> [...] A-histórico, um ser como este não pode comprometer-se; em lugar de relacionar-se com o mundo, o ser imerso nele somente está em contato com ele. Seus contatos não chegam a transformar o mundo, pois deles não resultam produtos significativos, capazes de (inclusive, voltando-se sobre ele) marcá-los (EM: 17).

AJUSTAMENTO: V. ACOMODAÇÃO.

ALFABETIZAÇÃO: Concebida pela escola tradicional como a capacidade de ler e escrever, o processo de alfabetização vai muito além do mero lidar com letras e palavras; pois representa a possibilidade de leitura ou decodificação do mundo, desmistificando e preparando os percursos em busca de elementos necessários para a solidificação do conhecimento. A alfabetização é antes de tudo um meio para chegar à cidadania, para isso os símbolos, palavras e conceitos devem apresentar-se com significado histórico para o cidadão.

V. RELAÇÃO ENTRE ALFABETIZAÇÃO E EMANCIPAÇÃO.

> A alfabetização, como a educação em geral, não é a força motriz da mudança histórica. Ela não é apenas meio de libertação, mas instrumento essencial para todas as mudanças sociais (AH: 130).

[...] não é, não significa simplesmente pôr o alfabeto à disposição do alfabetizando. Não é isso. Alfabetização, mesmo numa compreensão superficial, é um exercício através do qual o alfabetizando vai se apoderando, pouco a pouco, do profundo mistério da linguagem. Quer dizer, vai assumindo aquilo que ela já faz quando vem se alfabetizar. Vai assumir a legitimidade daquilo que a gente chama de sua competência linguística. [...] É possibilitar que o que já fala compreenda a razão de ser da própria fala; assuma, inclusive, a grafia do som e a grafia da fala, que não aparece necessariamente. [...] O processo de alfabetização é um processo político, eminentemente político, e eu diria, que depende da educadora saber disso ou não. [...] Ela vai ter que optar, e optar é difícil, implica decisão, e decidir, por sua vez, exige ruptura (PSP: 126-128).

[...] o processo de alfabetização válido entre nós é aquele [...] que não se satisfaz apenas — e agora volto a uma afirmação que eu venho fazendo há anos neste país — com a leitura da palavra, mas que se dedica também a estabelecer uma relação dialética entre a leitura da palavra e a leitura do mundo, a leitura da realidade. A prática da alfabetização tem que partir exatamente dos níveis de leitura do mundo, de como os alfabetizandos estão lendo sua realidade porque toda leitura de mundo está grávida de um certo saber. [...] O que é preciso é saber que saber é esse e em que nível se situa, qual é a maior ou menor distância que este saber tem com relação à rigorosidade de não dar a nós absolutização do nosso saber, mas que nos aproxime do real sabido. Nós temos que partir do respeito do saber popular explicitado na leitura que o povo traz de seu mundo, da sua realidade. Por isso é que a alfabetização, em sendo o processo de aprendizagem da leitura da palavra, pode significar uma aproximação mais rigorosa da compreensão da cidadania.

Então, esta alfabetização assim vivida, assim encarada, fundando-se nos achados da teoria, inventando metodologia, essa alfabetização se inscreve como um instrumento limitado, humilde, mas indispensável para a obtenção, a criação, a aplicação e a produção da cidadania (PSP: 134).

A alfabetização e a educação, de modo geral, são expressões culturais (ALMLP: 33).

[...] relação entre os educandos e o mundo, mediada pela prática transformadora desse mundo, que ocorre exatamente no meio social mais geral em que os educandos transitam, e mediada também pelo discurso oral que diz respeito a essa prática transformadora (ALMLP: 56).

[...] a alfabetização é mais do que o simples domínio psicológico e mecânico de técnicas de escrever e ler. É o domínio dessas técnicas, em termos conscientes. É entender o que se lê e escrever o que se entende. É comunicar-se graficamente. É uma incorporação (EPL: 119).

ALFABETIZAÇÃO CRÍTICA: É a alfabetização um processo que se inicia em dado momento da vida dos indivíduos, mas que não pode ter seu fim delimitado por um processo puramente estrutural e político. Nas constantes transformações experimentadas pelo mundo real estão intrínsecas necessidades de readaptação da alfabetização original. Operacionalmente, o indivíduo depende desta renovação de seus instrumentos de leitura do mundo para continuar interagindo e, portanto, fazendo parte do universo no qual se insere.

V. RELAÇÃO ENTRE ALFABETIZAÇÃO E EMAN-CIPAÇÃO.

➤ Finalmente, uma alfabetização crítica, sobretudo uma pós-alfabetização, não pode deixar de lado as relações entre o econômico, o cultural, o político e o pedagógico (ALMLP: 32).

ALFABETIZAÇÃO E EDUCAÇÃO: Constituem-se como bases para o processo evolutivo do ser, como elementos indispensáveis ao homem, que permitem o desenvolvimento de atitudes, habilidades, interesses e formas de socialização. É impossível que se separe o processo de alfabetização do contexto educacional de um povo, assim como não se pode desvincular este contexto do processo cultural que o precede. Na verdade, quando o educador e o educando passam a entender que, a partir da cultura, se formam e se transformam os processos de alfabetização e educação, os frutos aparecem com maior rapidez e facilidade.

➤ A alfabetização e a educação, de modo geral, são expressões culturais. Não se pode desenvolver um trabalho de alfabetização fora do mundo da cultura. Parece-me fundamental, porém, na prática educativa, que os educadores não apenas reconheçam a natureza cultural do seu quefazer, mas também desafiem os educandos a fazer o mesmo reconhecimento (ALMLP: 33).

Na verdade, nessa questão do tempo e da alfabetização, sem desrespeitar certas condições biocognitivas necessárias ao educando e as psicológicas e emocionais, enfim, todo esse conjunto que tem a ver com a postura do sujeito que conhece, a alfabetização depende muito do tempo histórico em que ela se dá (AH: 30).

ALIENAÇÃO: É o estado não reflexivo do indivíduo sem consciência do seu próprio "eu" perante a sociedade, passivo em suas decisões e ignorante de suas possibilidades. É uma categoria concreta, resultado da dominação ideológica de uma ou mais classes sobre outras.

> A experiência tem mostrado que a alfabetização pode acarretar a alienação do indivíduo, integrando-o na ordem estabelecida sem sua permissão. Pode integrá-lo, sem sua participação, num modelo de desenvolvimento alienígena ou, pelo contrário, ajudar a expandir sua consciência crítica e imaginação criadora, nisso capacitando todo homem a participar como um agente responsável, em todas as decisões que afetam o seu destino (AH: 131).
>
> O alienado [...] não distingue o ano do calendário do ano histórico. Não percebe que existe uma não contemporaneidade do coetâneo (EM: 24).
>
> [...] alienação geralmente produz timidez, uma insegurança, frustração, um medo de correr o risco da aventura de criar, sem o qual não há criação. [...] a alienação estimula o formalismo que funciona como um cinto de segurança.
>
> [...] Constitui-se na nostalgia dos mundos alheios e distantes [...] (EM: 25).

ALIENAÇÃO DA IGNORÂNCIA: É a condição incutida no homem simples, quando se pretende tê-lo como um ser "domesticado". Assim dominado, é levado a crer na sua total ignorância (que o aliena) por aqueles que, ao exercerem a dominação, julgam-se menos ignorantes e, assim, alienam-se do seu próprio não saber.

➤ Para que os homens simples sejam tidos como absolutamente ignorantes, é necessário que haja quem os considere assim.

[...] Absolutizando a ignorância dos outros, na melhor das hipóteses relativizam a sua própria ignorância.

Realizam deste modo o que chamamos "alienação da ignorância, segundo a qual esta se encontra sempre no outro, nunca em quem a aliena" (EC: 46-47).

AMOR: É o sentimento primário próprio do homem, que aguça a humildade em busca de superação do egoísmo, das desigualdades e dos preconceitos. Na educação, o amor é fundamental para que todos os homens e mulheres, seres inacabados e em constante aperfeiçoamento, possam aprender.

➤ O amor é uma tarefa do sujeito. É falso dizer que o amor não espera retribuições. O amor é uma intercomunicação íntima de duas consciências que se respeitam. Cada um tem o outro como sujeito de seu amor. Não se trata de apropriar-se do outro.

Não há educação sem amor. [...] Não há educação imposta, como não há amor imposto. Quem não ama não compreende o próximo, não o respeita (EM: 29).

A minha abertura ao querer bem significa a minha disponibilidade à alegria de viver. Justa alegria de viver, que, assumida plenamente, não permite que me transforme num ser "adocicado" nem tampouco num ser arestoso e amargo (PA: 160).

ANALFABETISMO E INJUSTIÇA: A injustiça representada pelo analfabetismo é, ao mesmo tempo, causa e consequência de uma série de distorções sociais.

É causa, a partir do momento em que gera descontentamento, diferenças e desequilíbrio social acentuado; é consequência ao representar o resultado de diversas ações amparadas pelas normas sociais do poder estabelecido. O analfabetismo, apesar de representar uma perversão social incomparável, não pode ser entendido como um fato consumado, sem alternativas. Ao analfabeto resta a opção de buscar formas diferenciadas de inserção social, que podem ser obtidas através da consciência deste estado de desigualdade e do anseio de mudança dessa situação.

> A injustiça que por si só o analfabetismo representa tem implicações mais graves, tal como a de os analfabetos se verem anulados por sua incapacidade de tomar decisões sozinhos, votar e participar do processo político. Isso me parecia absurdo. Ser analfabeto não elimina o bom senso para escolher o que é melhor para si, nem para escolher os governantes melhores (ou menos ruins) (ALMLP: 110).

ANESTESIA HISTÓRICA: É geradora de desinteresse, significa a apatia e o imobilismo no tocante ao debate de natureza política e à análise crítica do momento vivido.

> À "anestesia histórica" de que muitos eram presa se juntava ainda o clima cultural, político e ideológico [...] (PE: 139).

> [A anestesia histórica é...] geradora de uma certa apatia, de um certo imobilismo, à preocupação e ao debate de natureza política (PA: 138).

ANTIDIÁLOGO: Representa a falta de comunicação entre o professor e o aluno, configurando uma relação de superioridade do professor sobre o aluno. Em outros termos, é a educação que mata a criatividade do educando e do educador ou que se reduz a fórmulas prontas.

> ➤ Precisávamos de uma pedagogia da comunicação com a qual pudéssemos vencer o desamor do antidiálogo. [...A educação do antidiálogo] mata o poder criador não só do educando mas também do educador, na medida em que se transforma em alguém que impõe ou, na melhor das hipóteses, num doador de "fórmulas" e "comunicados", recebidos passivamente pelos seus alunos (EM: 69).
>
> A dialogação implica uma mentalidade que não floresce em áreas fechadas, autarquizadas. Estas, pelo contrário, constituem um clima ideal para o antidiálogo. Para a verticalidade das imposições. Para a ênfase e robustez dos senhores. Para o mandonismo. Para a lei dura feita pelo próprio "dono das terras e das gentes" (EPL: 77).
>
> O antidiálogo que implica uma relação vertical de A sobre B, é o oposto a tudo isso. É acrítico e não gera criticidade, exatamente porque desamoroso. Não é humildade. É desesperançoso. Arrogante. Autossuficiente. No antidiálogo quebra-se aquela relação de "simpatia" entre seus pólos, que caracteriza o diálogo. Por tudo isso, o antidiálogo não comunica. Faz comunicados (EPL: 116).

APRENDER: É a procura constante do crescimento pelo indivíduo, que busca a sua satisfação pessoal; é construção diária e decodificação do mundo. Aprender define-se, sobretudo, como uma aventura criadora, uma capacidade exclusivamente humana de observar, agir, decidir e criar, visando à construção do saber para compreender a realidade e transformá-la por meio da sua intervenção.

> Aprender é uma aventura criadora, algo, por isso mesmo, muito mais rico do que meramente repetir a lição dada. [...] Aprender para nós é construir, reconstruir, constatar para mudar, o que não se faz sem abertura ao risco e à aventura do espírito (PA: 77).

APRENDIZAGEM: Trata-se da real apropriação de conteúdos depois de assimilados, digeridos e transformados. A aprendizagem acontece quando o conhecido enriquece a vida, a instrumentaliza e a dirige para novos conteúdos de conhecimento. Assim, aprende-se na medida em que se retém conteúdos que poderão ser utilizados em favor do crescimento individual; aprende-se quando se chega a conhecer o objeto da aprendizagem.

V. VERDADEIRA APRENDIZAGEM.

> [...] só aprende verdadeiramente aquele que se apropria do aprendido, transformando-o em apreendido, com o que pode, por isto mesmo, reinventá-lo; aquele que é capaz de aplicar o aprendido-apreendido a situações existenciais concretas (EC: 27-28).

ASSISTENCIALISMO: Consiste na modalidade de ação em que apenas se transfere dados e conhecimentos, mostrando-se desinteresse em dialogar e desconsiderando o outro pelo que é e sabe. Deste modo, diferentemente do que aparenta, o assistencialismo é mutilador, cerceador de iniciativa, deixando a pessoa à mercê de uma situação de eterna dependência. É, por fim, uma atitude inadequada a todo processo de conscientização, já que é antagônico a este e não "libertador".

➤ O grande perigo do assistencialismo está na violência do seu antidiálogo, que, impondo ao homem mutismo e passividade, não lhe oferece condições especiais para o desenvolvimento ou a "abertura" de sua consciência que, nas democracias autênticas, há de ser cada vez mais crítica (EPL: 65).

O assistencialismo [...] é uma forma de ação que rouba ao homem condições à consecução de uma das necessidades fundamentais de sua alma – a responsabilidade. [...] (ELP: 66).

As relações entre o educador verbalista, dissertador de um "conhecimento" memorizado e não buscado ou trabalhado duramente, e seus educandos, constitui uma espécie de assistencialismo educativo. Assistencialismo em que as palavras ocas são como as "dádivas", características das formas assistencialistas no domínio social (EC: 80).

Enquanto que a concepção "assistencialista" da educação "anestesia" os educandos e os deixa, por isto mesmo, a-críticos e ingênuos diante do mundo, a concepção da educação que se reconhece (e vive este reconhecimento) como uma situação gnosiológica, desafia-os a pensar corretamente e não a memorizar (EC: 81).

ATIVISMO: É característica da palavra inautêntica, que enfatiza exageradamente a ação em determinada reflexão.

➤ Se, pelo contrário, se enfatiza ou exclusiviza a ação, com o sacrifício da reflexão, a palavra se converte em ativismo. Este, que é ação pela ação, ao minimizar a reflexão, nega também a práxis verdadeira e impossibilita o diálogo (PO: 78).

[...] que é ação sem vigilância da reflexão (EPL: 59).

ATO COMPROMETIDO: Liga-se diretamente à possibilidade de assumir um ato comprometido, a capacidade de o homem agir e refletir sobre os seus atos. Para que isso ocorra, é necessário que o indivíduo esteja no mundo de maneira participante, crítica e atuante.

> ➤ De fato, ao nos aproximarmos da natureza do ser que é capaz de se comprometer, estaremos nos aproximando da essência do ato comprometido.
>
> A primeira condição para que um ser possa assumir um ato comprometido está em ser capaz de agir e refletir (EM: 16).

ATOS DE ENSINAR E DE APRENDER: Constituem dimensões de um processo maior e único (considerando a indissolubilidade do ato de ensinar e aprender) o qual visa a aquisição e a ampliação do conhecimento de si, do outro e do mundo.

> ➤ [Ensinar e aprender são ...] dimensões do processo maior — o de conhecer — fazem parte da natureza da prática educativa. Não há educação sem ensino, sistemático ou não, de certo conteúdo (PE: 110).

ATOS-LIMITES: São respostas transformadoras, dadas pelos indivíduos frente a "situações-limites"; é o agir provocado por tais situações que são historicamente apresentadas ao ser humano e que ele decide enfrentar.

> ➤ [...] implicam uma postura decisória frente ao mundo, do qual o ser se "separa", e, objetivando-o, o transforma com sua ação. [...] (PO: 91).

Os temas se encontram, em última análise, de um lado, envolvidos, de outro, envolvendo as "situações-limites", enquanto as tarefas que eles implicam, quando cumpridas, constituem os "atos-limites" [...] (PO: 93).

AUTODESVALIA: Trata-se de característica do oprimido relativamente a sua autoimagem. A realidade opressor-oprimido faz com que o oprimido construa uma imagem de si que é exatamente igual àquela imagem que o opressor tem dele – imagem esta que mostra o oprimido como um incapaz, um cidadão inferior. Aceita e vivida tal autoimagem, o oprimido jamais será capaz de questionar sua realidade e, tampouco, transformá-la.

➤ A autodesvalia é outra característica dos oprimidos. Resulta da introjeção que eles fazem da visão que deles têm os opressores.

De tanto ouvirem de si mesmos que são incapazes, [...] terminam por se convencer de sua "incapacidade" (PO: 50).

AUTONOMIA: É um processo gradativo de amadurecimento, que ocorre durante toda a vida, propiciando ao indivíduo a capacidade de decidir e, ao mesmo tempo, de arcar com as consequências dessa decisão, assumindo, portanto, responsabilidades.

➤ O respeito à autonomia e à dignidade de cada um é um imperativo ético e não um favor que podemos ou não conceder uns aos outros. Precisamente porque éticos podemos desrespeitar a rigorosidade da ética e resvalar para sua negação, por isso é imprescindível deixar claro que a possibilidade do desvio ético não pode receber outra designação senão a de transgressão (PA: 66).

[A autonomia...] enquanto amadurecimento do ser para si, é processo, é vir a ser. Não ocorre em data marcada. É neste sentido que uma pedagogia da autonomia tem de estar centrada em experiências estimuladoras da decisão e da responsabilidade, vale dizer, em experiências respeitosas da liberdade (PA: 121).

AUTORITARISMO E LICENCIOSIDADE: Define-se o autoritarismo como o privilégio da autoridade em detrimento da liberdade, conduzindo ao impedimento da expressão e da ação, a licenciosidade é o privilégio da liberdade, em detrimento da autoridade, conduzindo a ações sem respeito a terceiros.

> ➤ [...] o autoritarismo é a ruptura em favor da autoridade contra a liberdade e a licenciosidade, a ruptura em favor da liberdade contra a autoridade. Autoritarismo e licenciosidade são formas indisciplinadas de comportamento que negam o que venho chamando a vocação ontológica do ser humano (PA: 99).

AVALIAÇÃO PEDAGÓGICA: É a principal ferramenta do processo educacional consciente e, por isso, a avaliação deve contribuir com o crescimento do educando e do educador, observar verdades, reconhecer, reorganizar, reconduzir.

> ➤ [...] vêm se assumindo cada vez mais como discursos verticais, de cima para baixo, mas insistindo em passar por democráticos. A questão que se coloca a nós, enquanto professores e alunos críticos e amorosos da liberdade, não é, naturalmente, ficar

contra a avaliação, de resto necessária, mas resistir aos métodos silenciadores com que ela vem sendo às vezes realizada. A questão que se coloca a nós é lutar em favor da compreensão e da prática da avaliação enquanto instrumento de apreciação do quefazer de sujeitos críticos a serviço, por isso mesmo, da libertação e não da domesticação. Avaliação em que se estimule o falar a como caminho do falar com (PA: 130-131).

B

BOM PROFESSOR: Define o educador que sabe como trabalhar os diferentes saberes, que adota uma postura dialógica não apassivadora, assumindo, juntamente com seus educandos, uma curiosidade epistêmica. Aquele que possui a humildade do saber compartilhado, envolvendo os alunos numa constante troca de conhecimentos e informações necessárias ao desenvolvimento do indivíduo.

➤ [...] o bom professor é o que consegue, enquanto fala, trazer o aluno até a intimidade do movimento do seu pensamento. Sua aula é assim um desafio e não uma "cantiga de ninar". Seus alunos cansam, não dormem. Cansam porque acompanham as idas e vindas do seu pensamento, surpreendem suas pausas, suas dúvidas, suas incertezas (PA: 96).

Sou tão melhor professor [...] quanto mais eficazmente consiga provocar o educando no sentido de que prepare ou refine sua curiosidade [...] (PA: 133).

C

CAPACITAÇÃO TÉCNICA: Capacitar não é treinar, é oportunizar o ato cognoscente relativo a determinados procedimentos, necessários ao bom desempenho de dada ação ou tarefa.

➤ A capacitação técnica é mais do que o treinamento, porque é a busca de conhecimento, é apropriação de procedimentos.

Não pode nunca reduzir-se ao adestramento, pois que a capacitação só se verifica no domínio do humano (EC: 88).

CIDADANIA: Usada à exaustão nos planejamentos pedagógicos contemporâneos, a palavra cidadania corre o risco de ser significante sem significado. A educação democrática pretende a cidadania com seu significado forte, que permita ouvir as diversas vozes populares. A voz cidadã expõe a decência, a afirmação de si como gente, o exercício ético, a possibilidade de intervenção na realidade, a escolha pelo coletivo e assunção da responsabilidade pela construção possível do sonho de uma sociedade cada vez menos desigual.

➤ Não, cidadania não é um puro "adjetivo" que qualifica a pessoa em função de sua geografia. É algo mais. A cidadania está referida diretamente à história das pessoas e tem que ver com uma outra coisa muito mais exigente que é a assunção da história da pessoa. Tem que ver com o assumir a sua história na mão, quer dizer, não há cidadania sobre quem faz a história. [...] A história não é feita de indivíduos, ela é socialmente feita por nós todos e a cidadania é o máximo de uma presença crítica no mundo da história por ela narrada. Então vocês vejam a cidadania como sendo isso. A cidadania não é apenas o fato de ser um cidadão que vota. [...] O conceito de cidadania vem casado com o conceito de participação, de ingerência nos destinos históricos e sociais do contexto onde a gente está (PSP: 129).

A profundidade da significação de ser cidadão passa pela participação popular, pela "voz". [...] Não é abrir a boca e falar, recitar. A voz é um direito de perguntar, criticar, de sugerir. [...] Ter voz é ser presença crítica na história. Ter voz é estar presente, não ser presente. [...] (PSP: 130-131).

CÍRCULO DE CULTURA: Constitui-se como um espaço dinâmico de aprendizagem e troca de conhecimento. Local onde se reuniam os sujeitos do processo de educação de adultos para debaterem problemas de interesse do próprio grupo. Representa uma situação-problema, representativa de situações reais, que busca levar à reflexão acerca da própria realidade, para, na sequência, decodificá-la, conhecê-la.

➤ [...] em lugar de escola, que nos parece um conceito, entre nós, demasiado carregado de passividade, em face de nossa própria formação (mesmo quando lhe dá o atributo de ativa), contradizendo a dinâmica fase de transição, lançamos o Círculo de Cultura. Em lugar do professor, com tradições fortemente "doadoras", o Coordenador de Debates. Em lugar de aula discursiva, o diálogo. Em lugar de aluno, com tradições passivas, o participante de grupo. Em lugar dos "pontos" e de programas alienados, programação compacta, "reduzida" e "codificada" em unidades de aprendizado (EPL: 111 – nota de rodapé).

CODIFICAÇÃO PEDAGÓGICA: Corresponde à ação de reunir diversos temas, pesquisados em uma estrutura programática apropriada e relacionada aos educandos, com o intuito de envolvê-los no debate crítico das situações existenciais por ele vividas.

➤ O tratamento da temática pesquisada considera a "redução" e a "codificação" dos temas – que devem constituir o programa – como uma estrutura. Isto é, como um sistema de relações em que um tema conduz necessariamente a outros, todos vinculados em unidades e subunidades programáticas (EC: 89).

Diante de uma "codificação" pedagógica (EC situação-problema) que representa, como dissemos, uma situação existencial dada, os sujeitos interlocutores se intencionam a ela, buscando, dialogicamente, a compreensão significativa de seu significado (EC: 90).

As codificações, de um lado, são a mediação entre o "contexto concreto ou real", em que se dão os fatos, e o "contexto teórico", em que são analisadas; de outro, são o objeto cognoscível sobre que o educador-educando e os educandos-educadores, como sujeitos cognoscentes, incidem sua reflexão crítica (PO: 109).

COERÊNCIA: Constitui virtude necessária, que exige esforço para ser obtida e que leva o ser humano a assumir uma postura onde não exista contradição entre aquilo que é escrito, dito ou falado. Paulo Freire admite a possibilidade da mudança de opinião no decorrer do processo de desenvolvimento; porém, dentro da nova posição, é necessário novamente a luta pela coerência. Ser coerente é, ainda, ter a capacidade de transferir para o mundo real, para o quotidiano, aquilo que é forma de pensamento, de ideologia, de convicção. Corresponde a uma harmonia dos atos, formando um todo lógico, em que prevaleçam a sensatez, a organização e a estabilização humanas.

➤ Entre as responsabilidades que, para mim, o escrever me propõe, para não dizer impõe, há uma que sempre assumo. A de, já vivendo enquanto escrevo a coerência entre o escrevendo-se e o dito, o feito, o fazendo-se, intensificar a necessidade desta coerência ao longo da existência. A coerência não é, porém, imobilizante. Posso, no processo de agir-pensar, falar-escrever, mudar de posição. Minha coerência assim, tão necessária quanto antes, se faz com novos parâmetros. O impossível para mim é a falta de coerência, mesmo reconhecendo a impossibilidade de uma coerência absoluta. No fundo, esta qualidade ou esta virtude, a coerência, demanda de nós a inserção num permanente processo de busca, exige de nós paciência e humildade, virtudes também, no trato com os outros. E às vezes nos achamos, por "n" razões, carentes dessas virtudes, fundamentais ao exercício da outra, a coerência (PE: 66).

Diminuir a distância entre o discurso e a prática é o que se denomina "coerência" (ALMLP: 83).

COMPREENSÃO AMOROSA DA VIDA: Compreender amorosamente a vida pede, longe da pieguice, que o educador abrace a complexa tarefa de transformar-se e ver o educando como um ser mutável, que se está fazendo, em constante reconstrução histórica, na busca de condições para avançar em seus níveis de consciência.

> [...] é aquela que percebe a vida como um processo acontecendo e não algo que é determinado a priori (PSP: 74).

COMPROMISSO: Para que o homem seja capaz de assumir compromissos, ele precisa ser: consciente, crítico, reflexivo, comprometido com a realidade do mundo em que vive, transpondo os limites que lhe são impostos, transformando e sabendo-se transformado pela sua própria criação.

> O compromisso seria uma palavra oca, uma abstração, se não envolvesse a decisão lúcida e profunda de quem o assume. Se não se desse no plano do concreto (EM: 15).

> [...] Na medida em que o compromisso não pode ser um ato passivo, mas práxis – ação e reflexão sobre a realidade – inserção nela, ele implica indubitavelmente um conhecimento da realidade [...] (EM: 21).

COMPROMISSO PROFISSIONAL: Representa o comprometimento pessoal com um grupo maior, a sociedade, no qual as responsabilidades ficam tanto no setor unilateral, onde se exerce uma atividade profissional, quanto em todas as ramificações de caráter social, político e cultural. O compromisso profissional envolve um compromisso com a sociedade, a consciência do papel que cabe a cada um, a necessidade de aprimorar-se e buscar a visão crítica da realidade.

➤ [...] Quanto mais me capacito como profissional, quanto mais sistematizo minhas experiências, quanto mais me utilizo do patrimônio cultural, que é patrimônio de todos e ao qual todos devem servir, mais aumenta minha responsabilidade com os homens. Não posso, por isso mesmo, burocratizar meu compromisso profissional, servindo, numa inversão dolosa de valores, mais aos meios que ao fim do homem [...]. (EM: 20).

[...] Não é possível um compromisso autêntico se, àquele que se julga comprometido, a realidade se apresenta como algo dado, estático e imutável. Se este olha e percebe a realidade enclausurada em departamentos estanques. Se não a vê e não a capta como uma totalidade, cujas partes se encontram em permanente interação [...]. (EM: 21).

COMUNICAÇÃO: Relação dialógica entre dois sujeitos pensantes, em torno de um objeto cognoscível. A comunicação eficiente supõe que os sujeitos concordem em "ad-mirar" o mesmo objeto, usando símbolos linguísticos comuns a ambos. A relação "pensamento-linguagem-contexto" não pode ser rompida, sob pena de atrapalhar a eficácia do processo comunicativo.

V. SIGNOS LINGUÍSTICOS.

➤ O sujeito pensante não pode pensar sozinho; não pode pensar sem a coparticipação de outros sujeitos no ato de pensar sobre o objeto [...]. Esta coparticipação dos sujeitos no ato de pensar se dá na comunicação (EC: 66).

A comunicação [...] implica uma reciprocidade que não pode ser rompida. Comunicar é comunicar-se em torno do significado significante. Desta forma, na comunicação, não há sujeitos passivos (EC: 67).

COMUNICADO: Representa o conjunto de conhecimentos que um sujeito pensante intencionalmente deposita em outro. É, na educação bancária, o conteúdo que o professor "deposita" em seus alunos.

> ➤ São os "significados" que, ao esgotar seu dinamismo próprio, transformam-se em conteúdos estáticos, cristalizados. Conteúdos que à maneira de petrificações, um sujeito deposita nos outros, que ficam impedidos de pensar, pelo menos de forma correta (EC: 67).
>
> Equivocada está a concepção segundo a qual o quefazer educativo é um ato de transmissão ou de extensão sistemática de um saber. [...] a tarefa do educador não é a de quem se põe como sujeito cognoscente diante de um objeto cognoscível para, depois de conhecê-lo, falar dele discursivamente a seus educandos, cujo papel seria o de arquivadores de seus comunicados (EC: 68-69).

COMUNICAR: Seria, antes de mais nada, fazer conhecidos o significado (conteúdo) e o significante (forma), sendo que o inteligível só é compreendido à medida que, decodificado, se faz compreensível.

> ➤ [...] é comunicar-se em torno do significado significante.
>
> Desta forma, na comunicação, não há sujeitos passivos. Os sujeitos cointencionados ao objeto de seu pensar se comunicam seu conteúdo.
>
> O que caracteriza a comunicação enquanto este comunicar comunicando-se, é que ela é diálogo, assim como o diálogo é comunicativo (EC: 67).
>
> Só se comunica o inteligível na medida em que este é comunicável (EC: 68).

CONDICIONAMENTO: É condição do ser humano, construtor de si mesmo e da história através da ação, determinado pelas condições e circunstâncias que o envolvem. É condicionado e condicionador da história. É preciso saber-se condicionado e não fatalisticamente submetido a este ou aquele destino, para que se abra o caminho para sua intervenção no mundo. A adaptação é apenas um momento do processo de intervenção no mundo. É nisso que se funda a diferença primordial entre condicionamento – paralisante – e determinação.

> ➤ Enquanto, na compreensão mecanicista e autoritária, em que o futuro, desproblematizado, será o que tem de ser, o que já se sabe que será, a educação se reduz à transferência de receitas, de pacotes conteudísticos, na dialética, na história como possibilidade, começa que não há um só futuro, mas diferentes hipóteses de futuro. Os homens e as mulheres são seres programados, condicionados, mas não determinados. E porque além de ser se sabem condicionados, podem intervir no próprio condicionamento. Não haveria como falar em libertação se esta fosse um dado preestabelecido (CC: 151).

CONHECER: V. CONHECIMENTO.

CONHECIMENTO: Não é a mera percepção dos objetos ou das coisas quando se tem somente uma impressão de que estes existem; o conhecimento vai muito além. O verdadeiro conhecimento não se transfere de maneira mecanicista daquele que conhece para aquele que ignora; antes, faz-se construir através das relações do homem com a sua realidade de maneira crítica. O conhecimento somente pode ser engendrado por sujeitos que atuam sobre a sua realidade, procurando diagnosticar seu conteúdo, desvendando os seus mistérios, sua essência e dando sentido cultural e científico ao resultado. Exige persistência, acuidade e desejo de avançar, constituindo a eterna vontade de dominar o desconhecido e transformar a realidade opressora.

➤ Exige uma presença curiosa do sujeito em face do mundo. Requer sua ação transformadora sobre a realidade. Demanda uma busca constante. Implica invenção e reinvenção. Reclama reflexão crítica de cada um sobre o ato mesmo de conhecer, pelo qual se reconhece conhecendo e, ao reconhecer-se assim, percebe o "como" de seu conhecer e os condicionamentos a que está submetido seu ato. Conhecer é tarefa de sujeitos, não de objetos. E é como sujeito e somente enquanto sujeito, que o homem pode realmente conhecer (EC: 27).

[...] a mera captação dos objetos como das coisas é um puro dar-se conta deles e não ainda conhecê-los (EC: 28).

[...] não se estende do que se julga sabedor até aqueles que se julga não saberem; o conhecimento se constitui nas relações homem-mundo, relações de transformação, e se aperfeiçoa na problematização crítica destas relações. [...] não se estende do que se julga sabedor até aqueles que se julgam não saberem; [...] se constitui nas relações homem-mundo, relações de transformação, e se aperfeiçoa na problematização crítica destas relações (EC: 36).

CONHECIMENTO NOVO: É a transformação do saber a partir daquilo que já é ou já foi, gerando o novo, o que aponta para o futuro.

➤ [...] supera outro que antes foi novo e se fez velho, e se dispõe a ser ultrapassado por outro amanhã (PA: 31).

CONQUISTA: Sendo essencial para a dominação, a conquista é característica da ação antidialógica. A massa conquistada é facilmente dirigida para ser e agir em função dos interesses daquele que exerce o poder, o opressor. O oprimido, por sua vez, precisa confiar que, quem o dirige, procura, sobretudo, saciar suas necessidades para que possa haver uma relação de confiança e de subserviência do oprimido para com o opressor.

➤ O primeiro caráter que nos parece poder ser surpreendido na ação antidialógica é a necessidade da conquista. [...]

Todo ato de conquista implica um sujeito que conquista e um objeto conquistado. O sujeito da conquista determina suas finalidades ao objeto conquistado, que passa, por isto mesmo, a ser algo possuído pelo conquistador. Este, por sua vez, imprime sua forma ao conquistado que, introjetando-o, se faz um ser ambíguo. Um ser [...] "hospedeiro" do outro (PO: 135).

Conquista – particípio feminino do antigo conquerir. Latim: coquirere: buscar por toda parte. Não há que buscar os homens por toda parte, ao contrário, com eles há que estar. A conquista que se encontra no diálogo é a conquista do mundo para O SER MAIS de todos os homens (EC: 43).

CONSCIÊNCIA BANCÁRIA: Representa a consciência ingênua, fechada, limitada aos padrões já consolidados de compreensão e de reflexão da realidade. A consciência bancária possibilita que o educando seja um depósito de conhecimentos do seu professor, que julga ensinar a ignorantes.

➤ A consciência bancária "pensa que quanto mais se dá mais se sabe". Mas a experiência revela que com este mesmo sistema só se formam indivíduos medíocres, porque não há estímulo para a criação (EM: 38).

CONSCIÊNCIA CRÍTICA: Caracteriza-se por um anseio na análise de problemas; pelo reconhecimento de que a realidade é mutável e aberta a revisões; e busca de análise dos fatos sem preconceitos, de modo indagador e investigativo. Para a formação de uma consciência crítica, necessita-se de uma educação que valorize a reflexão, que forme um ser crítico, questionador e transformador da sua própria realidade.

> ➤ [...] a consciência crítica [...]. Somente se dá com um processo educativo de conscientização [...].
>
> [...] na [consciência] crítica há um compromisso [...] (EM: 39).

CONSCIÊNCIA DO MUNDO: Existe consciência do "eu" somente quando existe o "outro". Se o mundo é algo em que o indivíduo está inserido por circunstância, este indivíduo precisa ter a capacidade de reconhecê-lo e de dele participar conscientemente. Isto significa que a parte deve interagir com o todo e entender que o modifica, assim como entender que este todo, que constitui o mundo real, é o responsável por sua própria constituição, como sua parte.

> ➤ A consciência do mundo constitui-se na relação com o mundo; não é parte do eu. O mundo, enquanto "outro" de mim, possibilita que eu me constitua como "eu" em relação com "você". A transformação da realidade objetiva (o que chamo de "escrita" da realidade) representa exatamente o ponto a partir do qual o animal que se tornou humano começou a "escrever" história.

Isso teve início no momento em que as mãos, liberadas, começaram a ser usadas de maneira diferente. À medida que essa transformação tinha lugar, a consciência do mundo "contatado" ia-se constituindo. Precisamente essa consciência do mundo, tocado e transformado, é que gera a consciência do eu (ALMLP: 32).

CONSCIÊNCIA INGÊNUA: V. CONSCIÊNCIA TRANSITIVA.

CONSCIÊNCIA INTRANSITIVA: Limitação do homem na esfera da apreensão dos fatos, aceitos como "destino". Representa o estado de consciência do ser humano em que este, embora aberto, se mostra limitado ou impermeável a qualquer desafio fora de suas necessidades básicas.

➤ É evidente que o conceito de "intransitividade" não corresponde a um fechamento do homem dentro dele mesmo, esmagado, se assim o fosse, por um tempo e um espaço todo poderosos. O homem, qualquer que seja o seu estado, é um ser aberto. O que pretendemos significar com a consciência "intransitiva" é a limitação de sua esfera de apreensão. É a sua impermeabilidade a desafios situados fora da órbita. Nesse sentido, e só nesse sentido, é que a intransitividade representa um quase incompromisso do homem com a existência. O discernimento se dificulta. Confundem-se as notas dos objetos e dos desafios do contorno e o homem se faz mágico, pela não captação da causalidade autêntica (EPL: 68).

Os liberais chegam e anunciam a morte da história, sem que os homens e as mulheres tenham morrido. Os liberais dizem que todo mundo se tornou igual. Então, uma das fragilidades do intelectual do Terceiro Mundo, como nós, é que damos aula de pós-modernidade e convivemos com trinta milhões de miseráveis no Brasil, que não chegaram sequer à modernidade, não passaram da tradicionalidade, da consciência mágica que eu chamei de intransitiva [...] (PSP: 237).

CONSCIÊNCIA MÁGICA: V. CONSCIÊNCIA TRANSITIVA.

CONSCIÊNCIA TRANSITIVA: Representa o estado de consciência do ser humano em que este se mostra simplório na interpretação dos problemas, frágil na sua argumentação e satisfeito com as explicações emocionais e mágicas que lhe são dadas. Representa a captação dos fatos de maneira submissa, em que o indivíduo não se julga apto a fazer mudanças.

➤ A consciência transitiva é, porém, num primeiro estado, preponderantemente ingênua. A transitividade ingênua, fase em que nos achávamos e nos achamos hoje nos centros urbanos, mais enfática ali, menos aqui, se caracteriza, entre outros aspectos, pela simplicidade na interpretação dos problemas. Pela tendência a julgar que o tempo melhor foi o tempo passado. Pela subestimação do homem comum. Por uma forte inclinação ao gregarismo, característico da massificação. Pela impermeabilidade à investigação, a que corresponde um gosto acentuado pelas explicações fabulosas. Pela fragilidade na argumentação. Por forte teor de emocionalidade. Pela prática não propriamente do diálogo, mas da polêmica. Pelas explicações mágicas [...]. É a consciência do quase homem massa, em quem a dialogação mais amplamente iniciada do que na fase anterior se deturpa e se destorce (EPL: 68-69).

Consciência mágica, por outro lado, não chega a acreditar-se "superior aos fatos, dominando-os de fora, nem se julga livre para entendê-los como melhor lhe agrada". Simplesmente os capta, emprestando-lhes um poder superior, que a domina de fora e a que tem, por isso mesmo, de submeter-se com docilidade. É próprio desta consciência o fatalismo, que leva ao cruzamento dos braços, à impossibilidade de fazer algo diante do poder dos fatos, sob os quais fica vencido o homem (EPL: 113-114).

A intransitividade produz uma consciência mágica. As causas que se atribuem aos desafios escapam à crítica e se tornam superstições (EM: 39).

A consciência intransitiva responde a um desafio com ações mágicas porque a compreensão é mágica. Geralmente em todos nós existe algo de consciência mágica: o importante é superá-la (EM: 39).

CONTEÚDO PROGRAMÁTICO: São as ideias retiradas do próprio grupo, e que serão retrabalhadas. Na concepção da pedagogia da libertação, este conteúdo será estabelecido democraticamente entre educador-educando (com a participação de toda a comunidade escolar), de acordo com a realidade em que este se inserir e que será percebida por meio da dialogicidade entre eles. Já na concepção bancária, o conteúdo está predeterminado pelas autoridades que representam os interesses da minoria opressora e não passam de um punhado de temas a serem transmitidos (depositados) aos educandos.

> ➤ E não se diga, com ranço aristocrático e elitista, que alunos, pais de alunos, mães de alunos, vigias, zeladores, cozinheiras, nada têm a ver com isto. Que a questão dos conteúdos programáticos é de pura alçada ou competência de especialistas que se formaram para o desenvolvimento da tarefa. Defender a presença participante de alunos, pais de alunos, de mães de alunos, de vigias, de cozinheiras, de zeladores nos estudos de que re-

sulte a programação dos conteúdos da escola, não significa negar a indispensável atuação dos especialistas. Significa apenas não deixá-los como proprietários exclusivos de um componente fundamental para a prática educativa. Significa democratizar o poder da escolha sobre os conteúdos (PE: 110-111).

Para o educador-educando, dialógico, problematizador, o conteúdo programático da educação não é uma doação ou uma imposição [...], mas a devolução organizada, sistematizada e acrescentada ao povo daqueles elementos que este lhe entregou de forma desestruturada (PO: 83).

CORAGEM: Implica o domínio, a educação do medo; o medo domado.

➤ O que importa, na formação docente, não é a repetição mecânica do gesto, este ou aquele, mas a compreensão do valor dos sentimentos, das emoções, do desejo, da insegurança a ser superada pela segurança, do medo que, ao ser "educado", vai gerando coragem (PA: 51).

CRITICIDADE: Significa a capacidade do ser humano de não apenas reagir aos fatos, mas de poder refletir a respeito deles antes de reagir.

➤ E há também uma nota presente de criticidade. A captação que faz dos dados objetivos de sua realidade, como dos lações que prendem um dado a outro, ou um fato a outro, é naturalmente crítica, por isso, reflexiva e não reflexa, como seria na esfera dos contatos (EPL: 48).

CRITICIDADE VESGA: Liga-se à desistência de ser, à coisificação do ser humano. Aponta para a felicidade como resultado da adaptação ao comportamento e modo de vida esperado e pré-desenhado, não para a transformação da realidade.

➢ A criticidade [...] necessária ao neoliberalismo, é uma criticidade vesga, que vai ao encontro da presteza, da resposta imediata e segura, mas sempre em favor da verdade do opressor. Quer um exemplo? Com o avanço das comunicações e com a globalização da economia, uma multinacional transfere a fabricação de um certo produto de São Paulo para Hong-Kong em quinze dias. E a greve que estava se pensando em fazer aqui se esvazia, e a vulnerabilidade da classe trabalhadora a faz mais fraca.

Do que discordo? É que os analistas — e muitos deles eram, antes, progressistas — caem numa postura fatalista, de que não há salvação, de que a vida tem que ser assim mesmo, porque o máximo que o neoliberalismo vai fazer é amaciar um pouco a fome dos trinta milhões de miseráveis do Brasil (PSP: 238).

CULTURA: Representa a somatória de toda a experiência, criações e recriações ligadas ao homem no seu espaço de hoje e na sua vivência do ontem, configurando-se como a real manifestação do homem sobre e com o mundo. Cultura é terreno movediço das significações. Quando cessa sua importância, transforma-se em item histórico, para sempre lembrado e apreciado à distância. Em perene mudança, a cultura apresenta-se como o novo, o vir a ser.

➢ Só é enquanto está sendo. Só permanece porque muda. Ou, talvez dizendo melhor: a cultura só "dura" no jogo contraditório da permanência e da mudança (EC: 56).

O homem enche de cultura os espaços geográficos e históricos. Cultura é tudo que é criado pelo homem. [...] A cultura consiste em recriar e não em repetir. [...] (EM: 30).

A cultura consiste em recriar e não em repetir. O homem pode fazê-lo porque tem uma consciência capaz de captar o mundo e transformá-lo [...] é tudo o que é criado pelo homem e que consiste em recriar e não repetir, transformar e não adaptar (EM: 31).

O sentido de mediação que tem a natureza para as relações e comunicação dos homens. A cultura como o acrescentamento que o homem faz ao mundo que não fez. A cultura como o resultado de seu trabalho. Do seu esforço criador e recriador. O sentido transcendental de suas relações. A dimensão humanista da cultura. A cultura como aquisição sistemática da experiência humana. Como uma incorporação, por isso crítica e criadora [...] (EPL: 116-117).

Descobriria que tanto é cultura o boneco de barro feito pelos artistas, seus irmãos do povo, como também é cultura a obra de um grande escultor [...] (EPL: 117).

CURIOSIDADE: É o elemento propulsor do conhecimento, que estimula a reflexão crítica e afasta o comodismo e a passividade da educação bancária.

➤ Ensinar exige curiosidade (PA: 94).

Como professor devo saber que sem a curiosidade que me move, que me inquieta, que me insere na busca, não aprendo nem ensino [...] (PA: 95).

[...] Antes de qualquer tentativa de discussão de técnicas, de materiais, de métodos para uma aula dinâmica assim, é preciso, indispensável mesmo, que o professor se ache "repousado" no saber de que a pedra fundamental é a curiosidade do ser humano. É ela que me faz perguntar, conhecer, atuar, mais perguntar, re-conhecer (PA: 96).

CURIOSIDADE EPISTEMOLÓGICA: É a curiosidade científica sempre presente no processo educativo libertador, que inquieta parte da curiosidade ingênua e que, ao criticizar-se, aproxima-se, de forma metódica e rigorosa, do objeto cognoscível. É a curiosidade científica sempre presente no processo. É a atitude crítica que leva ao conhecimento e à mudança, que vai além da percepção inicial e simples do objeto a ser conhecido.

➤ [...] quanto mais criticamente se exerça a capacidade de aprender tanto mais se constrói e desenvolve o que venho chamando de curiosidade epistemológica, sem a qual não alcançamos o conhecimento cabal do objeto (PA: 27).

[...] principalmente na "superação da ingenuidade" e não na "ruptura"; é a criticidade na curiosidade, que leva à "curiosidade epistemológica" que, [...] como inquietação indagadora, como inclinação ao desvelamento de algo, como pergunta verbalizada ou não, como procura de esclarecimento, como sinal de atenção que sugere alerta, faz parte integrante do fenômeno vital (PA: 34-35).

[...] é um adequar-se entre mente e circunstâncias; neste adequar-se o que se pretende é conhecer a razão de ser dos fenômenos e dos objetos. Vale dizer, buscar historicizar [fenômenos e objetos] e, ao fazê-lo, constitui-se historicamente quem assim opera [a mente, o sujeito]. A curiosidade, então, burila, ela apura, aprimora e instrumenta a si mesma; ela se faz, ela toda, direção e ação coincidindo sobre um objeto. Não apenas sobre ele, como se fosse isolá-lo, mas principalmente a curiosidade incide sobre as relações do objeto e sobre suas relações com o objeto.

Assim supera o nível do mero "eu acho que", vale dizer, não se satisfaz com explicações de realidade que não sejam fruto de estar alerta (PSP: 187-188).

Continua em mim o respeito intenso à experiência e à identidade cultural dos educandos. Isso implica uma identidade de classe dos educandos. E um grande respeito, também, pelo saber "só de experiências feito", como diz Camões, que é exatamente o saber do senso comum. Discordo dos pensadores que menosprezam o senso comum. Discordo dos pensadores, como se o mundo tivesse partido da rigorosidade do conhecimento científico. A gente começa com uma curiosidade indiscutível diante do mundo e vai transformando essa curiosidade no que chamo de curiosidade epistemológica. Ao inventar a curiosidade epistemológica, obviamente são inventados métodos rigorosos de aproximação do sujeito ao objeto que ele busca conhecer (PSP: 232).

CURRÍCULO: Engloba todas as atividades desempenhadas pelos educandos no ambiente escolar, para além dos conteúdos programáticos.

➤ O currículo, no sentido mais amplo, implica não apenas o conteúdo programático do sistema escolar, mas também, entre outros aspectos, os horários, a disciplina e as tarefas diárias que se exigem dos alunos nas escolas. Há, pois, nesse currículo, uma qualidade oculta e que gradativamente fomenta a rebeldia por parte das crianças e adolescentes. Sua rebeldia é uma reação aos elementos agressivos do currículo que atuam contra os alunos e seus interesses (ALMLP: 70).

D

DECISÃO: É um ato de determinação para o desenvolvimento da autoexpressão e da transformação. A decisão passa por uma criteriosa escolha do conhecimento da verdade, que leva à ação.

> ➤ Decisão é um processo responsável (PA: 120). Desprendendo-se de seu contorno, [o homem] veio tornando-se um ser, não da adaptação, mas da transformação do contorno, um ser de decisão (EC: 40).

DEPÓSITO: Diz-se do ato por meio do qual o opressor pretende introduzir ("ensinar") conceitos e valores a seus alunos. Diz-se "depósito" porque este ato, na prática, consiste em mera transmissão de informação, não havendo qualquer tipo de reflexão na adoção deste procedimento.

> ➤ Quanto mais vai "enchendo" os recipientes com seus "depósitos", tanto melhor educador será (PO: 58).

DESESPERANÇA: Representa a perda das expectativas sublimes da vida, um esmorecimento mórbido que tem o poder de frustração; é o não viver, é o declínio dos conceitos morais e espirituais. Não é natural no ser humano, que tem a esperança como parte de sua natureza.

> ➤ A desesperança é negação da esperança [...] não é maneira de estar sendo natural do ser humano, mas distorção da esperança. Eu não sou primeiro um ser da desesperança a ser convertido ou não

pela esperança. Eu sou, pelo contrário, um ser da esperança que, por "n" razões, se tornou desesperançado [...] (PA: 80-81).

DIABOLIZAR: Significa, no contexto freireano, repudiar, repelir, negar, não aceitar os contributos tecnológicos ou científicos.

➤ Divinizar ou diabolizar a tecnologia ou a ciência é uma forma altamente negativa e perigosa de pensar errado (PA: 37).

DIALOGAÇÃO: V. DIÁLOGO.

DIALOGISMO: É característica fundamental no processo da prática educativa. O dialogismo é indispensável à prática docente. O educador progressista incita no educando a curiosidade sobre os objetos do conhecimento, desafiando-lhe o senso crítico, sabendo ouvir e respeitando seu direito de perguntar, num processo de interação dialógica educador-educando, de tal modo que "quem ensina aprende" e "quem aprende ensina".

➤ O sujeito que se abre ao mundo e aos outros inaugura com seu gesto a relação dialógica em que se confirma como inquietação e curiosidade, como inconclusão em permanente movimento na História (PA: 154).

Ensinar e, enquanto ensino, testemunhar aos alunos o quanto me é fundamental respeitá-los e respeitar-me são tarefas que jamais dicotomizei. Nunca me foi possível separar em dois momentos o ensino dos conteúdos da formação ética dos educandos. A prática docente que não há sem a discente é uma prática inteira [...]. É concretamente respeitando o direito do aluno de indagar, de duvidar, de criticar que "falo" desses direitos (PA: 106).

DIÁLOGO: É pelo diálogo que os homens se aproximam uns dos outros, desarmados de qualquer preconceito ou atitude de ostentação. Ninguém pode, querendo dialogar, estabelecer uma relação em que um dite as normas e o outro, simplesmente, as observe. No diálogo, as pessoas são livres para desejar, cultivar e estabelecer encontros. Transitando na construção de sua visão de mundo, na situação dialógica, os indivíduos não são seres coisificados, mas sujeitos que se humanizam totalmente. O diálogo não é um bate-papo desobrigado, mas sim a oportunidade, "não isolamento", com a possibilidade de compreensão do pensamento do outro. É, por fim, o espaço onde se expressa o pensar verdadeiro, esperançoso e confiante.

V. RELAÇÃO DIALÓGICA.

➤ [...] sendo o diálogo o conteúdo da forma de ser própria à existência humana, está excluído de toda relação na qual alguns homens sejam transformados em "seres para outro" por homens que são falsos "seres para si". É que o diálogo não pode travar-se numa relação antagônica.

O diálogo é o encontro amoroso dos homens que, mediatizados pelo mundo, o "pronunciam", isto é, o transformam, e, transformando-o, o humanizam para a humanização de todos.

Este encontro amoroso não pode ser, por isto mesmo, um encontro de inconciliáveis (EC: 43).

O que se pretende com o diálogo não é que o educando reconstitua todos os passos dados até hoje na elaboração do saber científico [e técnico]. Não é que o educando faça adivinhações ou que se entretenha num jogo puramente intelectualista de palavras vazias.

O que se pretende com o diálogo, em qualquer hipótese, [...] é a problematização do próprio conhecimento em sua indiscutível reação com a realidade concreta na qual se gera e sobre a qual incide, para melhor compreendê-la, explicá-la, transformá- la (EC: 52).

O diálogo não pode converter-se num bate-papo desobrigado que marche ao gosto do acaso entre professor ou professora e educandos (PE: 118).

Enquanto relação democrática, o diálogo é a possibilidade de que disponho de, abrindo-me ao pensar dos outros, não fenecer no isolamento (PE: 120).

O diálogo é este encontro dos homens, mediatizados pelo mundo, por pronunciá-lo não se esgotando, portanto, na relação eu-tu (PO: 78).

[...] o diálogo é uma exigência existencial, [...] é o encontro em que se solidarizam o refletir e o agir de seus sujeitos, endereçados ao mundo a ser transformado e humanizado [...] (PO: 79).

E que é o diálogo? É uma relação horizontal de A com B. Nasce de uma matriz crítica e gera criticidade (JASPERS). Nutre-se do amor, da humildade, da esperança, da fé, da confiança. Por isso, só o diálogo comunica. E quando os dois pólos do diálogo se ligam assim, com amor, com esperança, com fé um no outro, se fazem críticos na busca de algo. Instala-se, então, uma relação de simpatia entre ambos. Só aí há comunicação (EPL: 115).

DIÁLOGO PEDAGÓGICO: Refere-se tanto ao conteúdo em si quanto à forma pela qual o educador se vale para expor o significado de sua mensagem.
V. RELAÇÃO DIALÓGICA.

➤ O diálogo pedagógico implica tanto o conteúdo ou o objeto cognoscível em torno de que gira quanto a exposição sobre ele feita pelo educador ou educadora para os educandos (PE: 118).

DIRETIVIDADE: Consiste na percepção, por parte do professor, de que o diálogo, o reconhecimento e o respeito ao conhecimento de mundo que o aluno traz não são sinônimos de abstenção de liderança por parte do professor; a licenciosidade e o desregramento, por sua vez, desumanizam tanto quanto o autoritarismo. Cabe ao professor, em respeito à liberdade do aluno, assumir sua autoridade e seu papel de regulador na sala de aula, sem se afastar dos parâmetros éticos, para que não se silencie a voz do educando nesse mesmo processo. A intervenção do professor é ser exemplo para o aluno, em quem ele credita a possibilidade de transformar o que "está sendo" no que "pode vir a ser", em processo contínuo de desenvolvimento do homem e da sociedade.

> ➤ Aí é que entra a compreensão democrática da educação, e até diria, antes dela, a compreensão democrática da interferência do intelectual. O intelectual interfere, o intelectual não se omite. A postura democrática difere da postura autoritária apenas porque a intervenção democrática envolve o outro também como sujeito da própria intervenção. [...] Sempre usei o verbo partir, que não implica fixar-se. Disse que o ponto de partida da prática educativa está, entre outras coisas, no senso comum, mas enquanto ponto de partida, e não ponto de chegada ou ponto de "ficada". Teríamos duas posições: uma autoritária, que é desrespeitar o senso comum e impor sobre ele a sua possível rigorosidade. Para mim, não: é preciso que o educando se assuma ingenuamente para, assumindo-se ingenuamente, ultrapassar a ingenuidade e alcançar maior rigorosidade.
>
> Toda prática formativa tem como objetivo ir mais além de onde se está. É exatamente essa a possibi-

lidade que a prática educativa tem: a de mover-se até. É isso que a gente chama de diretividade da educação. E essa diretividade — que faz parte da natureza do ser da educação — não permite que ela seja neutra.

Mas há uma diferença entre diretividade e espontaneísmo. Eu não sou espontaneísta, mas sou diretivo. Sendo diretivo, porém, não significa que eu manipule o educando. Sou diretivo na medida em que tenho um sonho, em que tenho uma utopia. E, se tenho um sonho, uma utopia, devo lutar por esse sonho. Você já imaginou um professor que pouco se interessa, diante de sua classe, com o sonho de uma sociedade menos injusta, e nada faz pela criação de uma sociedade menos injusta, só porque o que ele ensina é Biologia, como se fosse possível ensinar Biologia, o fenômeno vital, sem considerar o social? (PSP: 233-234).

DIRETIVIDADE E EDUCAÇÃO: É a educação diretiva por natureza, existindo, para ela, objetivos predeterminados a serem alcançados. Toda ação que envolva alvos a serem atingidos representa uma ação diretiva. Mesmo quando se atua de maneira progressista e se busca novos padrões de educação, a direção sempre existe e novas diretrizes são estabelecidas.

➤ Como educador, você só pode manter uma atitude não diretiva, se você tenta fazer um discurso falaz, isto é, um discurso a partir da perspectiva da classe dominante. Somente nesse discurso falaz um educador pode falar a respeito de uma falta de direção. Por quê? Creio que isso se deve a que não há verdadeira educação sem uma diretriz. Na medida em que toda prática educativa transcende a si mesma, supondo um objetivo a ser atingido, não pode ser não diretiva. Não existe prática educacional que não aponte para um objetivo; isso prova que a natureza da prática educativa tem uma direção (ALMLP: 86).

DISCIPLINA: Refere-se ao equilíbrio entre autoridade e liberdade, que leva o ser humano a reconhecer os seus deveres bem como os seus direitos, os quais não gostaria de ver violados. Da mesma forma, deveria reconhecer direitos alheios, que também não devem ser transgredidos. Disciplina exige, portanto, respeito mútuo.

> ➤ [...] resultando da harmonia ou do equilíbrio entre autoridade e liberdade, a disciplina implica necessariamente o respeito de uma pela outra, expresso na assunção de que ambas são feitas de limites que não podem ser transgredidos (PA: 99).
>
> Evidentemente, a questão da disciplina está relacionada ao balanço mais ou menos harmonioso entre a autoridade e a liberdade. Toda vez que este balanço se desfaz, ele se desfaz em favor de um lado ou de outro. Se o balanço se desfaz em favor da autoridade, não existe disciplina, o que há é autoritarismo. A experiência autoritária anula a liberdade, mas anula também a própria autoridade. Se o desequilíbrio se desfaz em favor da liberdade, também não existe disciplina, tem-se um clima licencioso, espontaneísta. A liberdade também não é liberdade, e a autoridade se esvazia como tal. Qualquer dessas hipóteses — do autoritarismo ou da licenciosidade — contribui e contribui mal para um bom processo de aprendizagem e de ensino.
>
> Um professor, por exemplo, que não consegue afirmar sua presença pedagógica, séria, a sua autoridade na sala, compromete necessariamente o processo de ensino em que ele é um dos sujeitos.

Mas ao comprometer o processo do ensino ele compromete o processo da aprendizagem dos alunos. A mesma coisa se dá então no caso do autoritarismo do professor, em que ele exacerba a sua autoridade. É possível, porém, que do ponto de vista do ensino em si a licenciosidade seja mais sacrificadora do que o autoritarismo. Eu digo isso com uma certa dor, porque eu defendo enormemente a liberdade. Eu tenho profundo amor pela liberdade. Mas o que eu quero dizer é que talvez seja menos prejudicial para o aluno a presença de professor autoritário, mas sério e competente, do que a presença de um professor irresponsável, incompetente e licencioso. Amanhã os ex-alunos daquele professor autoritário se lembrarão dele com respeito, enquanto os ex-alunos do professor licencioso, que nada ensinou, lembrarão desse professor com desrespeito. Isto não significa que eu esteja fazendo a defesa do autoritarismo, mas eu estou fazendo a crítica mais dura da licenciosidade (PSP: 251).

DISCIPLINA, AUTORIDADE E LIBERDADE: Fazem-se presentes no ato educativo, principalmente via diálogo e respeito, de forma a conduzir, formar e permitir o "vir a ser" de cada um. Embora pareçam, à primeira vista, conceitos excludentes, são na realidade complementares, pois o exercício da liberdade requer disciplina e demanda autoridade equilibradamente exercida.

➤ Resultando da harmonia ou do equilíbrio entre autoridade e liberdade, a disciplina implica necessariamente o respeito de uma pela outra, expresso na assunção que ambas fazem de limites que não podem ser transgredidos. O autoritarismo e a licenciosidade são rupturas do equilíbrio tenso entre autoridade e liberdade. O autoritarismo é a ruptura em favor da autoridade contra a liberdade; e a licenciosidade, a ruptura em favor da liberdade contra a autoridade. Autoritarismo e licenciosidade são formas indisciplinadas de comportamento que negam o que venho chamando a vocação ontológica do ser humano. Assim como inexiste disciplina no autoritarismo ou na licenciosidade, desaparece em ambos, a rigor, a autoridade ou a liberdade. Somente nas práticas em que autoridade e liberdade se afirmam e se preservam enquanto elas mesmas, portanto no respeito mútuo, é que se pode falar de práticas disciplinadas como também em práticas favoráveis à vocação para o ser mais (PA: 99).

O grande problema que se coloca ao educador ou à educadora de opção democrática é como trabalhar no sentido de fazer possível que a necessidade do limite seja assumida eticamente pela liberdade. Quanto mais criticamente a liberdade assuma o limite necessário tanto mais autoridade tem ela, eticamente falando, para continuar lutando em seu no-me (PA: 118).

A liberdade amadurece no confronto com outras liberdades, na defesa de seus direitos em face da autoridade dos pais, do professor, do Estado. [...] (PA: 119).

[...] uma pedagogia da autonomia tem de estar centrada em experiências estimuladoras da decisão e da responsabilidade, vale dizer, em experiências respeitosas da liberdade (PA: 121).

DISCRIMINAÇÃO: Significa uma ruptura com a decência, em qualquer instância que aconteça, pois o respeito pela cultura e pela identidade pessoal revela a coerência da prática educativa e do entender-se como ser humano ético, autônomo, democrático.

> Qualquer discriminação é imoral e lutar contra ela é um dever por mais que se reconheça a força dos condicionantes a enfrentar (PA: 67).

A discriminação da mulher, expressada e feita pelo discurso machista e encarnada em práticas concretas, é uma forma colonial de tratá-la, incompatível, portanto, com qualquer posição progressista, de mulher ou de homem, pouco importa (PA: 68).

DISPONIBILIDADE: É estar aberto ao mundo, ao outro, ao ser social, numa relação verdadeiramente sentida, abrindo possibilidades para que seja viável o "re-conhecer-se".

> Estar disponível é estar sensível aos chamamentos que nos chegam, aos sinais mais diversos que nos apelam, ao canto dos pássaros, à chuva que cai ou que se anuncia na nuvem escura, ao riso manso da inocência, à cara carrancuda da desaprovação, aos braços que se abrem para acolher ou ao corpo que fecha na recusa. É na minha disponibilidade permanente à vida – a que me entrego de corpo inteiro, pensar crítico, emoção, curiosidade, desejo –, que vou aprendendo a ser eu mesmo em minha relação com o contrário de mim. E quanto mais me dou à experiência de lidar sem medo, sem preconceito, com as diferenças, tanto melhor me conheço e construo meu perfil (PA: 151-152).

DISTANCIAR-SE: Significa ir além do já existente e comum para percebê-lo e assim poder criar e inovar, buscando a mudança da vida em sociedade.

> [...] É um ser imerso no mundo, no seu estar, adaptado a ele e sem ter dele consciência. Sua imersão na realidade, da qual não pode sair, nem

"distanciar-se" para admirá-la e, assim, transformá-la [...] (EM: 16).

DODISCÊNCIA: Decorrente do ato dialógico de educar, a dodiscência é a docência-discência, o "ensinar aprendendo".

➤ Ensinar, aprender e pesquisar lidam com esses dois momentos do ciclo gnosiológico: o em que se ensina e se aprende o conhecimento já existente e o em que se trabalha a produção do conhecimento ainda não existente. A dodiscência – docência-discência – e a pesquisa, indicotomizáveis, são assim práticas requeridas por estes momentos do ciclo gnosiológico (PA: 31).

DOMESTICAÇÃO ALIENANTE: Vem do outro, do dominador. Refere-se ao estado de aceitação diante dos fatos que passam a ser considerados imutáveis. É uma atitude de passividade, gerada pela autoestima rebaixada e pela sensação de completa impotência diante dos fatos.

➤ [...] poder invisível da domesticação alienante [...]. Um estado refinado da estranheza, de autodemissão da mente, do corpo consciente, de conformismo do indivíduo, de acomodação diante de situações consideradas fatalisticamente como imutáveis. É a posição de quem encara os fatos como algo consumado, como algo que se deu porque tinha que se dar da forma como se deu. É a posição, por isso mesmo, de quem entende e vive a História como determinismo e não como possibilidade. É a posição de quem se assume como fragilidade total diante do todo poderosismo dos fatos que não apenas se deram porque tinham que se dar mas que não podem ser "reorientados" ou alterados. Não há, nesta maneira mecanicista de compreender a História, lugar para a decisão humana (PA: 128-129).

DOMINADOR: Designa aquele que, para salvaguardar sua posição de verticalidade e poder, ou mesmo defender seus ideais, impõe sua realidade aos outros.

> Quem atua sobre os homens para, doutrinando-os, adaptá-los cada vez mais à realidade que deve permanecer intocada, são os dominadores (PO: 85).

DOXA: Representa uma "mera opinião" e não um autêntico conhecimento. Sua percepção do objeto não vai além do notar sua existência, carecendo de maior profundidade, autenticidade e veracidade nesse ato de "conhecer". Seu relacionamento com as coisas é funcional, estabelecendo um tênue liame de causa e efeito. Falta-lhe, portanto, a verificação científica.

> [...] o que não é ainda conhecimento verdadeiro, é que constitui o domínio da mera opinião ou da "doxa".
>
> Este é o campo em que os fatos, os fenômenos naturais, as coisas, são presenças captadas pelos homens, mas não desvelados nas suas autênticas inter-relações.
>
> No domínio do "doxa", no qual os homens [...] se dão conta ingenuamente da presença das coisas, dos objetos, a percepção desta presença não significa o "adentramento" neles, de que resultaria a percepção crítica dos mesmos (EC: 28-29).

E

EDUCAÇÃO: É, antes de mais nada, ato de amor e coragem, que está embasada no diálogo, na discussão e no debate. O homem vive em constante aprendizado, não havendo homens "ignorantes absolutos", já que existem diferentes saberes, alguns sistematizados, outros não.

> ➤ A educação é um ato de amor, por isso, um ato de coragem. Não pode temer o debate. A análise da realidade. Não é fugir à discussão criadora, sob pena de ser uma farsa (EPL: 104).
>
> A educação tem caráter permanente. Não há seres educados e não educados. Estamos todos nos educando. Existem graus de educação, mas estes não são absolutos (EM: 28).

EDUCAÇÃO BANCÁRIA: Configura a abordagem pedagógica pela qual o educador é agente transmissor de informações e conhecimentos aos educandos. Para esta concepção, o único papel do educador é o de expor/impor conhecimentos, não havendo espaço para discussão ou reflexão, sua missão é meramente informativa. Por isto adota-se, analogicamente, o termo "bancária". A ideia que se tem é de que aquele que possui conhecimento irá "depositar", transferir, pura e simplesmente, aquilo que conhece para aquele que nada sabe, o depositário do saber de outrem.

> ➤ [...] Eis aí a concepção "bancária" da educação, em que a única margem de ação que se oferece aos educandos é a de receberem os depósitos, guardá-los e arquivá-los [...].

Na visão "bancária" da educação, o "saber" é uma doação dos que se julgam sábios aos que julgam nada saber. Doação que se funda numa das manifestações instrumentais da ideologia da opressão – a absolutização da ignorância, que constitui o que chamamos de alienação da ignorância, segundo a qual esta se encontra sempre no outro (PO: 58).

Na concepção "bancária" que estamos criticando, para a qual a educação é o ato de depositar, de transferir, de transmitir valores e conhecimentos, não se verifica nem se pode verificar esta superação [...] (PO: 59).

[...] Educa-se para arquivar o que se deposita. Mas o curioso é que o arquivado é o próprio homem, que perde assim seu poder de criar, se faz menos homem. O destino do homem deve ser criar e transformar o mundo, sendo sujeito de sua ação (EM: 38).

[...] em que pese o ensino "bancário", que deforma a necessária criatividade do educando e do educador, o educando a ele sujeitado pode, não por causa do conteúdo cujo "conhecimento" lhe foi transferido, mas por causa do processo mesmo de aprender, dar, como se diz na linguagem popular, a volta por cima e superar o autoritarismo e o erro epistemológico do "bancarismo" (PA: 27-28).

EDUCAÇÃO COMO PRIORIDADE: Sendo a educação uma prioridade, é preciso que todo o país a assuma como tal não só no discurso, mas expressa em verbas suficientes para que esta cumpra o seu papel. Cabe ao professor denunciar a pouca prioridade que se dá à educação, com seu discurso e com ações eficientes, buscando engajar a sociedade em sua luta pela mudança. Não é um movimento fácil, nem de resultados imediatos, mas é uma luta que, para o professor democrático, é direito e dever.

➤ Não há prioridade que não se expresse em verbas. Não adianta o discurso da prioridade, para, no ano seguinte, dizer: "É prioridade, mas, lamentavelmente, não tenho dinheiro". É preciso que este país alcance o nível em que isso não possa mais ser dito. Mas, para que isso nunca mais possa ser dito, é preciso que os professores não aceitem que se diga isso. Quer dizer, os professores precisam continuar brigando, e muito. É preciso, também, que a opinião pública entenda o direito e até o dever que os professores têm de lutar. Acho que eles têm até mais dever do que direito de lutar, ou têm tanto um quanto o outro. Finalmente, é preciso que decidamos, como um concerto da nação inteira, que é fundamental que a educação e a saúde sejam prioridades. Sem briga não vão ser nunca. É preciso que haja luta, que haja protesto, que haja exigência e que os responsáveis, de maneira direta ou indireta, pela tarefa de formar entendam que formação é permanente. Não existe formação momentânea, formação do começo, formação do fim de carreira. Nada disso. Formação é uma experiência permanente, que não para nunca (PSP: 245).

EDUCAÇÃO DA ESPERANÇA: É a extensão da ideia de que o homem, como um ser inacabado, busca o seu aprimoramento, que só ocorre quando há esperança. A esperança é fundamental ao processo educacional por ser motor para a ação, para a busca e para o diálogo.

➤ [...] Eu espero na medida em que começo a busca, pois não seria possível buscar sem esperança.

Uma educação sem esperança não é educação. Quem não tem esperança na educação [...] deverá procurar trabalho noutro lugar (EM: 30).

[...] A esperança está na própria essência da imperfeição dos homens, levando-os a uma eterna busca [...].

Não é, porém, a esperança um cruzar de braços e esperar. Movo-me na esperança enquanto luto e, se luto com esperança, espero (PO: 82).

EDUCAÇÃO DESINIBIDORA: Dá-se quando não se utiliza a mera repetição daquilo que o professor diz na classe, pois estimula a criação por parte do educando e a formação de sua consciência crítica, questionadora, capaz de transformar a sociedade em que vive.

> ➤ [...] O ímpeto de criar nasce da inconclusão do homem. A educação é mais autêntica quanto mais desenvolve este ímpeto ontológico de criar. A educação deve ser desinibidora e não restritiva. É necessário darmos oportunidades para que os educandos sejam eles mesmos (EM: 32).

EDUCAÇÃO EM DIREITOS HUMANOS: É utópica a visão de uma sociedade menos desigual, deste modo, a Educação em Direitos Humanos constitui-se como um motor para alimentar a ação educativa dos professores democráticos. Permite-lhes uma crença no ser humano como indivíduo histórico e na cultura como fazer humano e, portanto, passíveis de transformação, de um "vir a ser". A perspectiva de uma educação que respeite os Direitos Humanos volta-se para a urgência de justiça, de participação igualitária de toda a sociedade numa conjuntura democrática.

> ➤ [...] na perspectiva da justiça, é exatamente aquela educação que desperta os dominados para a

necessidade da briga, da organização, da mobilização crítica, justa, democrática, séria, rigorosa, disciplinada, sem manipulações, com vista à reinvenção do mundo, à reinvenção do poder tomado, o que vale dizer que essa educação tem que ver com uma compreensão diferente do desenvolvimento, que implica uma participação, cada vez maior, crescente, crítica, afetiva, dos grupos populares (PPS: 99).

Portanto, a perspectiva da educação em Direitos Humanos, que defendemos, é esta, de uma sociedade menos injusta para, aos poucos, ficar mais justa. Uma sociedade reinventado-se sempre com uma nova compreensão do poder, passando por uma nova compreensão da produção. Uma sociedade em que a gente tenha gosto de viver, de sonhar, de namorar, de amar, de querer bem. Esta tem que ser uma educação corajosa, curiosa, despertadora da curiosidade, mantenedora da curiosidade, por isso mesmo uma educação que, tanto quanto possível, vai preservando a menina que você foi, sem deixar que a sua maturidade a mate (PSP: 101).

É uma educação que tem de nos pôr, permanentemente, perguntando-nos, refazendo-nos, indagando-nos. É uma educação que não aceita, para poder ser boa, que deva sugerir tristeza aos educandos.

Essa educação para a liberdade, essa educação ligada aos direitos humanos nesta perspectiva, tem que ser abrangente, totalizante; ela tem que ver com o conhecimento crítico do real e com a alegria de viver. E não apenas com a rigorosidade da análise de como a sociedade se move, se mexe, caminha, mas ela tem a ver também com a festa que é a vida mesma (PSP: 102).

EDUCAÇÃO IMPOSTA: Retrata a postura da sociedade que, muitas vezes, busca educar por meio da imposição; no entanto, o ato de educar pressupõe respeito, compreensão do outro, da realidade em que ele vive e dos saberes que o indivíduo possui.

> ➤ Não há educação sem amor. O amor implica luta contra o egoísmo. Quem não é capaz de amar os seres inacabados não pode educar. Não há educação imposta, como não há amor imposto. Quem não ama não compreende o próximo, não o respeita (EM: 29).

EDUCAÇÃO LIBERTADORA: Representa o conjunto de conhecimentos compartilhado entre dois sujeitos pensantes, na busca de significados comuns. Ação que ocorre independentemente da intenção, mas que só pode ser reconhecida como "libertadora" quando percebe o homem social em constante transformação e crescimento e assim se faz atuar. Não omite fatos, não "passa a mão na cabeça", não "carrega no colo". Pelo contrário, conscientiza, instrumentaliza, respeita. Cumpre um papel especificamente humano e, para tanto, é necessário que o educador reconheça a natureza humana de seus alunos, suas necessidades, manifestações, sentimentos, além de "saberes específicos" à prática docente e às metodologias que a legitimem. Educação envolve a formação do educando em um ser crítico, que pensante, agente e interveniente no mundo, sente-se capaz de transformá-lo. Para isto, precisa ter conhecimento do mundo e analisá-lo criticamente.

Configura-se como o crescimento da consciência crítica; é poder e domínio na construção de uma sociedade mais igualitária, onde as pessoas realizem plenamente seu potencial humano. A educação é força responsável pelo dinamismo capaz de romper as barreiras das desigualdades em busca de uma sociedade justa e democrática, capaz de despertar aptidões, cultivando o espírito aberto para novas experiências; é a prática das faculdades mentais, da enunciação e expressão dos fatos e a crítica fundamentada em argumentos válidos, convincentes e lógicos.

V. EDUCAÇÃO PROBLEMATIZADORA; TEORIA DA NÃO EXTENSÃO DO CONHECIMENTO.

➤ [...] só é verdadeira quando encarna a busca permanente que fazem os homens, uns com os outros, no mundo em que e com que estão, de seu Ser Mais. [...] prática da liberdade (EC: 23-24).

A educação é um ato de amor, por isso, um ato de coragem. Não pode temer o debate. A análise da realidade. Não pode fugir à discussão criadora, sob pena de ser uma farsa (EPL: 104).

Especificamente humana a educação é gnosiológica, é diretiva, por isso política, é artística e moral, serve-se de meios, de técnicas, envolve frustrações, medos, desejos. Exige de mim, como professor, uma competência geral, um saber de sua natureza e saberes especiais, ligados à minha atividade docente (PA: 78).

[...] como experiência especificamente humana, a educação é uma forma de intervenção no mundo. Intervenção que além do conhecimento dos conteúdos bem ou mal ensinados e/ou aprendidos implica tanto o esforço de reprodução da ideologia dominante quanto o seu desmascaramento. Dialética e contraditória, não poderia ser a educação só uma ou só a outra dessas coisas. Nem apenas reprodutora nem apenas desmascaradora da ideologia dominante. Neutra, "indiferente" a qualquer destas hipóteses, a da reprodução da ideologia dominante ou a de sua contestação, a educação jamais foi, é, ou pode ser. É um erro decretá-la como tarefa apenas reprodutora da ideologia dominante como erro é tomá-la como uma força de desocultação da realidade, a atuar livremente, sem obstáculos e duras dificuldades. Erros que implicam diretamente visões defeituosas da História e da consciência (PA: 110-111).

É comunicação, é diálogo, na medida em que não é a transferência de saber, mas um encontro de sujeitos interlocutores que buscam a significação dos significados (EC: 69).

É um ato de amor, por isso, um ato de coragem. Não pode temer o debate. A análise da realidade. Não pode fugir à discussão criadora, sob pena de ser uma farsa (EPL: 104).

Como situação gnosiológica, significa a problematização do conteúdo sobre o qual se cointencionam educador e educando, como sujeitos cognoscentes (EC: 85).

Uma busca natural e constante, seguida de reflexões sobre a finitude da infinitude, onde o sujeito homem, se descobrisse como um ser inacabado (EM: 27).

A educação é uma forma de intervenção no mundo (PA: 110).

A educação é, por si mesma, uma dimensão da cultura (ALMLP: 33).

A educação é uma resposta da finitude da infinitude. A educação é possível para o homem, porque este é inacabado e sabe-se inacabado (EM: 27-28).

A educação como prática de liberdade, ao contrário daquela que é prática da dominação, implica a negação do homem abstrato, isolado, solto, desligado do mundo assim como também a negação do mundo como uma realidade ausente dos homens (PO: 70).

EDUCAÇÃO PERMANENTE: É a educação fundada na consciência da necessidade do conhecimento. Sabedores de sua inconclusão, homens e mulheres procuram, ao longo de suas vidas, saber mais. Esse buscar constante é característica humana, baseada na esperança.

➤ É na inconclusão do ser, que se sabe como tal, que se funda a educação como processo permanente [...]. É também na inconclusão de que nos tornamos conscientes e que nos inserta no movimento permanente de procura que se alicerça a esperança [...] (PA: 64).

EDUCAÇÃO POPULAR: É a capacidade de organização e estruturação de uma comunidade no compromisso e na assunção do processo educacional, sem que o Estado seja excluído de suas obrigações.

➤ [...] centrando-se a educação popular na produção cooperativa, na atividade sindical, na mobilização e na organização da comunidade para a assunção por ela da educação de seus filhos e filhas através de escolas comunitárias, sem que isto deva significar um estímulo ao Estado para que não cumpra um de seus deveres, o de oferecer educação ao povo (PE: 132).

EDUCAÇÃO PROBLEMATIZADORA: É antagônica à educação bancária, já que, ao problematizar, rompe com os esquemas verticais característicos da educação bancária, realizando-se como prática da liberdade e do dialogismo.

É aquela capaz de fazer com que o oprimido tome consciência de sua condição e da relevância de se ter consciência disto, ou seja, da importância de ser um cidadão que sabe que já foi inconsciente (alienado) e reconhece as implicações dessa alienação. Entende-se que somente assim será possível a educação de indivíduos capazes de agir criticamente e de fazer uso das informações que o processo educacional lhes dá para transformar efetivamente a realidade em seu próprio benefício.

V. EDUCAÇÃO LIBERTADORA.

➤ Ao contrário da "bancária", a educação problematizadora, respondendo à essência do ser da consciência, que é sua intencionalidade, nega os comunicados e existência à comunicação [...] (PO: 67).

A prática problematizadora, pelo contrário, não distingue estes momentos no quefazer do educador-educando.

Não é sujeito cognoscente em um, é sujeito narrador do contexto conhecido em outro.

É sempre um sujeito cognoscente, quer quando se prepara, quer quando se encontra dialogicamente com os educandos.

O objeto cognoscível, de que o educador bancário se apropria, deixa de ser, para ele, uma propriedade sua, para ser a incidência da reflexão sua e dos educandos (PO: 69).

A educação problematizadora, de caráter autenticamente reflexivo, implica um ato permanente de exposição da realidade [...] procura a imersão das consciências da qual resulta a sua inserção crítica na realidade (PO: 71).

O educador problematizador refaz, constantemente, seu ato cognoscente, na cognoscitividade dos educandos. Estes, em lugar de serem recipientes dóceis de depósitos, são agora investigadores críticos, em diálogo com o educador (PE: 35).

EDUCAÇÃO VERBOSA: Caracteriza-se como verbosa a educação que se utiliza, em demasia, das palavras, num tom autoritário.

➤ Nossa educação não é teórica porque lhe falta esse gosto da comprovação, da invenção, da pesquisa. Ela é verbosa. Palavresca. É "sonora". É "assitencializadora". Não comunica. Faz comunicados, coisas diferentes (EPL: 101).

EDUCADOR DEMOCRÁTICO: É o educador com capacidade crítica, condutor e sistematizador do processo de aprendizagem; é aquele que estabelece uma relação dialógica com o educando, exercitando-o na arte do raciocínio crítico, na observação apurada dos fatos e na organização e correção do pensamento. Tem consciência de que ensinar é muito mais do que transmitir conhecimento, levando o aluno a pensar reflexiva e criticamente a respeito do conteúdo aprendido.

V. EDUCADOR PROGRESSISTA; SER DIALÓGICO.

➤ O papel do educador não é o de "encher" o educando de "conhecimento" de ordem técnica ou não, mas sim o de proporcionar, através da relação dialógica educador-educando, educando-educador, a organização de um pensamento correto em ambos (EC: 53).

A tarefa do educador, então, é a de problematizar aos educandos o conteúdo que os mediatiza, e não o de dissertar sobre ele, de dá-lo, de estendê-lo, de entregá-lo, como se se tratasse de algo já feito, elaborado, acabado, terminado. Neste ato de problematizar os educandos, ele se encontra igualmente problematizado (EC: 81).

[...] deve reforçar a capacidade crítica do educando, sua curiosidade, sua insubmissão, [...] tendo como uma das "tarefas primordiais" trabalhar a "rigorosidade metódica" no trabalho com os educandos, o que os deve "aproximar" dos objetos cognoscíveis (PA: 28).

EDUCADOR-EDUCANDO: Resulta da percepção de que a educação problematizadora contrapõe-se à realidade da educação tradicional, segundo a qual o educador é aquele que ensina e o educando é, simplesmente, aquele que aprende. Educando e educador estão ambos em posição de trocar conhecimentos, gerando um contexto de aprendizagem e ensino onde um ensinará ao outro aquilo que conhece. Entende-se que esta sistemática é capaz de criar um rico ambiente de aprendizagem, de debate e de reflexão.

V. SITUAÇÃO EDUCATIVA.

➤ É através [... do diálogo] que se opera a superação de que resulta um termo novo: não mais educador do educando, não mais educando do educador, mas educador-educando com educando-educador.

Desta maneira, o educador já não é o que apenas educa, mas o que, enquanto educa, é educado, em diálogo com o educando que, ao ser educado, também educa [...] (PO: 68).

EDUCADOR PROGRESSISTA: É o educador que – tendo como tarefa buscar a esperança e fazer com que ela se torne uma realidade – respeita o educando e a sua compreensão do mundo, visando à instauração do diálogo, de modo a não ocorrer a mera imposição de opiniões. Um educador não é progressista apenas por questionar valores, mas sim porque *quer* e *precisa buscar* sua transformação, entendendo que esta evolução, além de contribuir para com estes mesmos valores, poderá transformá-los de maneira a colaborarem com o desenvolvimento dos indivíduos e da sociedade em geral. Quando o educador vivencia esta percepção de mundo com seus educandos, cria condições para o desenvolvimento do ambiente social em que se inserem.

V. EDUCADOR DEMOCRÁTICO.

➤ Uma das tarefas do educador ou educadora progressista, através da análise política, séria e correta, é desvelar as possibilidades, não importam os obstáculos, para a esperança, sem a qual pouco podemos fazer porque dificilmente lutamos e quando lutamos, enquanto desesperançados ou desesperados, a nossa é uma luta suicida, é um corpo a corpo puramente vingativo (PE: 11).

[...] o de que o educador ou educadora progressista, ainda quando, às vezes, tenha de falar ao povo, deve ir transformando o ao em com o povo (PE: 28).

O educador progressista rejeita os valores dominantes impostos à escola porque possui um sonho diferente, porque quer transformar o status quo (ALMLP 2. ed. 1994: 74).

EDUCADOR REACIONÁRIO: É aquele capaz de perceber e entender as resistências de seus alunos para sufocá-las, pois considera tais resistências como ameaças à alienação desejada pelo poder opressor que representa. Teme e afasta qualquer possibilidade de questionamento e mudança.

> A diferença básica entre um educador reacionário e um radical tem a ver com a manifestação de resistência. O educador reacionário interessa-se em conhecer os níveis de resistência e as formas que ela assume de modo a poder sufocar essa resistência. Um educador radical quer conhecer as formas e os modos como resiste o povo, não para dissimular as razões da resistência, mas para explicar no nível teórico a natureza dessa resistência. A diferença entre os educadores reacionário e radical é que o reacionário quer saber sobre a resistência para dissimulá-la ou eliminá-la, enquanto o radical quer saber sobre a resistência para compreender melhor o discurso de resistência, para propiciar estruturas pedagógicas que possibilitem que os alunos se emancipem (ALMLP: 85-86).

EDUCAR-SE: É ação decorrente de reconhecimento das igualdades das condições de aprendizagem, da importância da troca "humilde" intercultural nas relações de comunicação. É a busca continuada e incansável do conhecimento, com a consciência socrática de que não se sabe tudo e de que sempre há o que aprender.

> [...] na prática da liberdade, não é estender algo desde a "sede do saber", até a "sede da ignorância" para "salvar", com este saber, os que habitam nesta. Ao contrário, educar e educar-se, na prática da liberdade, é tarefa daqueles que sabem que pouco sabem – por isto sabem que sabem algo e podem assim chegar a saber mais – em diálogo com aqueles que, quase sempre, pensam que nada sabem, para que estes, transformando seu

pensar que nada sabem em saber que pouco sabem, possam igualmente saber mais (EC: 25).

ENGAJAMENTO: Configura-se como compromisso do indivíduo com o mundo, inserido em seu contexto histórico. Engajar-se com a realidade em que se vive não pode ser um ato passivo; pelo contrário, exige ação e reflexão.

➤ O compromisso, próprio da existência humana, só existe no engajamento com a realidade, de cujas "águas" os homens verdadeiramente comprometidos ficam "molhados", ensopados. Somente assim o compromisso é verdadeiro (EM: 19).

ENSINAR: É um processo dialógico e ativo do qual educador e educando participam, fazendo com que o educador atue como facilitador e como aquele que apoia o educando, possibilitando-lhe a construção de seu próprio saber. Ensinar não significa transferir conhecimento, mas criar possibilidades de construção desse conhecimento por parte do educando, proporcionando ao outro a percepção crítica da realidade que o rodeia.

V. ENSINAR E APRENDER.

➤ Ensinar inexiste sem aprender e foi aprendendo socialmente que, historicamente, homens e mulheres descobriram que era possível ensinar (PA: 26).

Ensinar não é transmitir conhecimento, mas criar as possibilidades para a sua própria produção ou a sua construção (PA: 52).

[...] ensinar não é transferir a inteligência do objeto ao educando mas instigá-lo no sentido de que, como sujeito cognoscente, se torne capaz de inteligir e comunicar o inteligido (PA: 134-135).

[...] ensinar é um verbo transitivo-relativo. Quem ensina, ensina alguma coisa – conteúdo – a alguém – aluno (PE: 110).

ENSINAR E APRENDER: Surge da necessidade de aprender o ato de ensinar. A dialética entre o aprender e o ensinar constitui um ciclo gnosiológico, que se dá pela prática e pela pesquisa, favorecendo a autonomia dos educandos. Exige rigorosidade metódica e a consciência de que o educador influencia o processo do conhecimento, acreditando na possibilidade de mudança. Só é possível ensinar a aprender através da prática cognoscente, por meio da qual os educandos vão se tornando sujeitos cada vez mais críticos e aprendendo a razão de ser do objeto que se estuda.

V. ENSINAR.

> ➤ [...] um inexiste sem o outro; "[...] foi aprendendo socialmente que, historicamente, homens e mulheres descobriram que era possível ensinar, [...] que era possível – depois, preciso trabalhar maneiras, caminhos, métodos de ensinar. Aprender precedeu ensinar [...]"; quando vividos autenticamente, leva a uma experiência "totalmente diretiva, política, ideológica, gnosiológica, pedagógica, estética e ética", achando-se a boniteza de mãos dadas com a decência e com a seriedade (PA: 26).

> Ensinar e aprender são assim momentos de um processo maior – o de conhecer, que implica reconhecer. No fundo, o que eu quero dizer é que o educando se torna realmente educando quando e na medida em que conhece, ou vai conhecendo o pensar sobre o fazer; [...] o pensar certo que supera o ingênuo tem que ser produzido pelo próprio aprendiz em comunhão com o professor formador; "curiosidade ingênua" também

deve se tornar "crítica"; e isto deve "atuar sobre a prática", também na "permanente do professor", formação cujo "discurso teórico" deve se tornar "concreto", se "materializar" nas suas ações, do qual participa também o "emocional", elemento fundamental que o impulsiona (PA: 42, 45).

[...] não é transferir conhecimento, mas criar as possibilidades para a sua produção ou a sua construção (PA: 25).

Ensinar a aprender só é válido quando os educandos aprendem a aprender ao aprender a razão de ser do objeto ou do conteúdo (PA: 81).

[...] não é possível ensinar a aprender, sem ensinar um certo conteúdo através de cujo conhecimento se aprende a aprender, não se ensina igualmente a disciplina de que estou falando a não ser na e pela prática cognoscente de que os educandos vão se tornando sujeitos cada vez mais críticos (PA: 82).

A atividade docente de que a discente não se separa é uma experiência alegre por natureza [...]. Ensinar e aprender não se podem dar fora da procura, fora da boniteza e da alegria (PA: 160).

[...] o educando se torna realmente educando quando e na medida em que conhece, ou vai conhecendo os conteúdos, os objetos cognoscíveis, e não na medida em que o educador vai depositando nele a descrição dos objetos, ou dos conteúdos (PE: 47).

ENSINAR E PESQUISAR: Inexiste educador consciente que não esteja em constante renovação científica, que não alimente sua curiosidade pelo novo, pelo desconhecido.

➤ [...] o que há de pesquisador no professor não é uma qualidade ou uma forma de atuar que se acrescente à de ensinar. Faz parte da prática docente a indagação, a busca, a pesquisa. [...] (PA: 32 – nota de rodapé).

ENTENDIMENTO DIALÉTICO: É o processo que possibilita a compreensão do fenômeno da introjeção do opressor e também da dificuldade do oprimido em localizar o opressor fora de si.

> ➤ Só no entendimento dialético de como [...] se dão consciência e mundo é possível compreender o fenômeno da introjeção do(a) opressor(a), a aderência deste àquele, a dificuldade que tem o(a) oprimido(a) de localizar o(a) opressor(a) fora de si, oprimido(a) (PE: 106).

ERRO: Posicionar-se diante do erro, por parte do professor democrático, difere do assumido pelo professor da escola bancária. O último, na busca da devolução do conhecimento transplantado no aluno, enxerga o erro como permanente, busca evitá-lo como nocivo e espelho de fracasso, utiliza-o como forma opressora de autoritarismo, como mostra da inferioridade do saber do outro. O professor democrático encara o erro como natural ao processo de busca do novo em que todo indivíduo se engaja em seu projeto de ser mais. Sendo natural, não serve para diminuir nem paralisar quem busca, mas para, diante do ponto de chegada não buscado, retornar no processo de análise, possibilitando fazer outra escolha, na busca de atingir o conhecimento esperado que, em essência, estará sempre incompleto. O procedimento tradicional diante do erro não é gerador da autonomia intelectual que é um dos alicerces da pedagogia democrática.

➤ Lembremos Bachelard, que sugere verdadeira "pedagogia do erro", onde o erro deve ser revisto não como reflexo do espírito cansado, mas, na maioria das vezes, como um obstáculo ao ato de conhecer e um desafio da realidade ao seu enfrentamento.

Seria preciso que a compreensão do erro em Bachelard fosse democratizada [...] que a grande maioria dos educadores passasse a entender o erro assim e passasse também a acrescentar à compreensão do erro, enquanto obstáculo epistemológico, a compreensão da força da ideologia, quase sempre na raiz do obstáculo epistemológico. Disso resultaria que em lugar de óbice propriamente para o processo de conhecer, o erro passaria a constituir-se como um momento do processo. Quer dizer, um momento importante, um momento fundamental do processo de conhecer é errar. É preciso, pois, que o educando perceba, pelo testemunho que a educadora lhe dá no seu discurso, na sua prática, que errar não é uma grave deficiência e revelação da sua incompetência, mas um momento possível no percurso da curiosidade [...].

No momento em que, portanto, a compreensão do erro muda, primeiro, você necessariamente melhora o processamento da busca do conhecimento por parte da criança e, segundo, faz a educadora assumir-se mais humildemente. Terceiro, necessariamente faz a educadora diminuir sua carga de autoritarismo. É que, do ponto de vista do autoritarismo, quanto mais as crianças erram, tanto mais podem ser punidas. [...] a compreensão do erro ultrapassa também o nível do erro intelectual e passa também a marcar terrivelmente o erro do ponto de vista do comportamento ético do menino e da menina que também é cultural, que é de classe [...]. Não há a possibilidade de a curiosidade se colocar, se posicionar, se aproximar, recuar diante do objeto que ela procura aprender, sem correr o risco bom de se equivocar ou de errar. O que a gente precisa fazer na prática pedagógica é mostrar que, se a curiosidade se equivoca ou erra, não deve, por isso, ser punida. Mas, por outro lado, não deve se "amaciar", não deve desistir de caminhar (PSP: 144-145).

ESCOLA ALEGRE E LEVE: São tradicionalmente ligadas à seriedade e sisudez dos espaços acadêmicos, à rigorosidade científica, à análise criteriosa e à disciplina intelectual. Essa visão associa-se ao conceito tradicional de escola autoritária, que não concebe o ambiente educacional como passível de ser agradável e leve. Num espaço democrático, em que o diálogo dos desejos se faz presente, a curiosidade tem condições de avançar para um estágio epistemológico, mesmo entre crianças muito pequenas, que aprendem, desde cedo, que podem e devem empregar toda a sua energia na busca do conhecer e que a descoberta do novo, depois do esforço, pode ser sumamente prazerosa.

> ➤ [...] nada tem a ver com uma escola fácil, irresponsável. Pelo contrário, ela é cuidadosa, trabalha criticamente a disciplina intelectual da criança, estimulando-a e desafiando-a a engajar-se seriamente na busca do conhecimento (PSP: 196).
>
> Para ser leve, ela tem que brigar contra as discriminações que sofre. Uma escola leve é uma escola que briga para ser alegre, mas que sabe que não é possível ser alegre se os professores são desprestigiados a partir do seu próprio salário (PSP: 241).

ESCREVER GOSTOSO: Considera-se que nem sempre o domínio das regras gramaticais garante o escrever bem, ou seja, "escrever gostoso", que resulta em um texto que prenda a atenção do leitor em função das associações e das ideias que veicula. Muitas vezes, "desvios" da norma criam efeitos de sentido outro, que não teriam o mesmo impacto caso se optasse por escrever de acordo com a norma culta da língua.

➤ Ao recordar agora não só aquelas visitas mas as minhas leituras e a minha atividade de professor de língua portuguesa, recordo também como, sob a influência de Pessoa da Silva mas sobretudo de Moacir de Albuquerque, ler Machado de Assis, Eça de Queiroz, Lins do Rego, Graciliano Ramos, Gilberto Freyre, Manuel Bandeira, Drummond terminou por me ensinar que não pode haver antagonismo entre "escrever certo" e escrever gostoso; que escrever gostoso é que é, em última análise, escrever certo (CC: 92).

ESCUTAR: É a qualidade humana na qual a percepção está latente. Diferentemente de ouvir, escutar proporciona a sensação da descoberta, que se efetiva num ato sensitivo. Trata-se da capacidade de ouvir o educando para compreendê-lo e, deste modo, falar com ele e não apenas falar para ele – assim, escutar é tarefa a ser aprendida pelo educador. É um "abrir-se", uma percepção ampliada do outro; envolve reflexão e posicionamento. É a atitude do educador progressista.

➤ Escutar é obviamente algo que vai mais além da possibilidade auditiva de cada um. Escutar, no sentido aqui discutido, significa a possibilidade permanente por parte do sujeito que escuta para a abertura à fala do outro, ao gesto do outro, às diferenças do outro. Isto não quer dizer, evidentemente, que escutar exija de quem realmente escuta sua redução ao outro que fala. Isto não seria escuta, mas autoanulação. A verdadeira escuta não diminui em mim, em nada, a capacidade de exercer o direito de discordar, de me opor, de me posicionar. Pelo contrário, é escutando bem que me preparo para melhor me colocar ou melhor me situar do ponto de vista das ideias. Como sujeito que se dá ao discurso do outro, sem preconceitos, o bom escutador fala e diz de sua posição com desenvoltura. Precisamente porque escuta, sua fala discordante, em sendo afirmativa, porque escuta, jamais é autoritária (PA: 135).

Escutar é obviamente algo que vai mais além da possibilidade auditiva de cada um (PA: 135).

ESPAÇO DE TRABALHO: Falar de conhecimento em um ambiente desorganizado, de salas sem nenhuma infraestrutura adequada, que comprometa o aprendizado, não tem sentido. O aprendizado melhor se dará em ambiente organizado do ponto de vista material: lugar limpo, bonito, para que o aluno sinta que o lugar de aprendizagem é acolhedor. Homens e mulheres são, fundamentalmente, seres estéticos.

➤ O primeiro ponto a observar é que a situação educativa se realiza em um dado espaço a que de modo geral não se dá nenhuma ou se dá pouca importância. Na verdade, porém, o espaço em que se vive a situação educativa é tão importante para educadores e educandos quanto me é importante o em que trabalho em minha casa [...]. Precisamos conotar o espaço de trabalho com certas qualidades que são, em última análise, prolongamentos nossos [...]. O estético, a necessária boniteza, o cuidado com que se trata o espaço, tudo isso tem que ver com um certo estado de espírito indispensável ao exercício da curiosidade (CC: 163).

104

[...] Além do mais, revelar cuidado e respeito pelo espaço de trabalho é excelente oportunidade que tem o(a) educador(a) de testemunhar a seus alunos sua disciplina e seu reconhecimento da importância do espaço e das coisas que o compõem para o bom andamento de sua prática (CC: 164).

ESPECIALISMOS ESTREITOS: Adverte-nos Freire sobre os riscos de profissionais que se voltam apenas para suas áreas de atuação (estudos, pesquisas, trabalhos), esquecendo-se de que todos estão inseridos em uma realidade e que todos têm sua devida importância. O profissional, independentemente de seu setor de atuação, deve sempre buscar o aperfeiçoamento baseado na ciência e voltado para o benefício do homem, sempre com uma visão crítica da realidade.

> ➤ Se o compromisso só é válido quando está carregado de humanismo, este, por sua vez, só é consequente quando está fundado cientificamente. Envolta, portanto, no compromisso do profissional, seja ele quem for, está a exigência de seu constante aperfeiçoamento, de superação do especialismo, que não é o mesmo que especialidade. O profissional deve ir ampliando seus conhecimentos em torno do homem, de sua forma de estar sendo no mundo, substituindo por uma visão crítica a visão ingênua da realidade, deformada pelos especialismos estreitos (EM: 21).

ESPERANÇA: É princípio essencial e propulsor para a realização de qualquer conquista, pois fornece as forças necessárias para que a luta seja enfrentada. Constitui-se apenas como o primeiro passo, ao qual se deve juntar a prática, para que o ser humano possa construir sua história. Isoladamente, a esperança se torna uma força inerte, sem capacidade de concretização e que se transforma em espera, agindo "sem se deixar levar" e levando à desesperança. A Esperança é um imperativo existencial e histórico básico, mas insuficiente, pois sozinha não ganha a luta e sem ela a luta fraqueja. Tem sentido se é partejada na inquietação criadora do combate, na medida em que também pode partejar novas lutas em outros níveis, desvelando as possibilidades pelo fundamento ético-histórico. A esperança, como necessidade ontológica, precisa ancorar-se na prática para tornar-se concretude histórica, condição indispensável para conscientização na luta.

> [...] faz parte da natureza humana. Seria uma contradição se, inacabado e consciente do inacabamento, primeiro, o ser humano não se inscrevesse ou não se achasse predisposto a participar de um movimento constante de busca e, segundo, se buscasse sem esperança. A esperança é uma espécie de ímpeto natural possível e necessário, a desesperança é o aborto deste ímpeto. A esperança é um condimento indispensável à experiência histórica. Sem ela, não haveria História, mas puro determinismo. Só há História onde há tempo problematizado e não pré-datado. A inexorabilidade do futuro é a negação da História (PA: 80-81).

Enquanto necessidade ontológica a esperança precisa da prática para tornar-se concretude histórica. É por isso que não há esperança na pura espera, nem tampouco se alcança o que se espera na espera pura, que vira, assim, espera vã (PE: 11).

[...] Eu espero na medida em que começo a busca, pois não seria possível buscar sem esperança (EM: 29).

A esperança faz parte da natureza humana (PA: 80).

A esperança é uma necessidade ontológica [...] (PA: 10, 197, 198).

ESTAR NO MUNDO: É condição natural do homem o "estar no mundo". Pode estar imerso, adaptado a ele, sem ter consciência da sociedade em que vive, ou então, pode estar no mundo de forma ativa, crítica, consciente do seu papel na sociedade, sabendo-se participante e transformador do momento histórico em que vive.

➤ É preciso que seja capaz de, estando no mundo, saber-se nele. Saber que, se a forma pela qual está no mundo condiciona a sua consciência deste estar, é capaz, sem dúvida, de ter consciência desta consciência condicionada (EM: 16).

ESTÉTICA DA LINGUAGEM: Insiste Paulo Freire, em vários pontos de sua obra, sobre o belo da linguagem – ou, nas suas palavras, na "boniteza" da linguagem. Para ele, não basta apenas escrever bem: quem tem como profissão escrever, tem de se ater, além da informação que a linguagem veicula, à maneira como essa linguagem é veiculada, ou seja, atentar para a forma "bonita", de modo a cativar o leitor pelo prazer estético. V. ESCREVER GOSTOSO.

➤ Moacir de Albuquerque, brilhante e apaixonado pelo que fazia, amoroso não só da literatura que ensinava – se é que se pode ensinar literatura –, mas amoroso também do próprio ato de ensinar, aguçou em mim alguma coisa que Pessoa havia insinuado em suas aulas. Aguçou em quão gosto-

so e fundamental era perseguir o momento estético, a boniteza da linguagem (CC: 79).

Não tenho por que não repetir, nesta carta, que a
afirmação segundo a qual a preocupação com o
momento estético da linguagem não pode afligir
o cientista, mas ao artista, é falsa. Escrever bonito
é dever de quem escreve, não importa o quê e
sobre o quê. É por isso que me parece fundamentalmente importante, e disto sempre falo para
quem trabalha dissertação de mestrado ou tese
doutoral que se obrigue, como tarefa a ser rigoro-
samente cumprida, a leitura de autores de bom
gosto. Leitura tão necessária quanto as que tratam
diretamente seu tema específico (CC: 112).

ÉTICA UNIVERSAL DO SER HUMANO: É a
marca da natureza humana e por isso é atitude que
não se pode separar da prática educativa. Constitui
o sentido de reconhecer o outro, de respeitá-lo por
si mesmo e nas suas diferenças, fazendo-se respeitar também, em coerência com seus princípios.

> ➤ [...] condena o cinismo [...], a exploração da força
> de trabalho do ser humano, condena acusar por
> ouvir dizer, [...] a falsear a verdade, iludir o incau-
> to, golpear o fraco e indefeso, soterrar o sonho e
> a utopia, prometer sabendo que não cumprirá a
> promessa, testemunhar mentirosamente, falar mal
> dos outros pelo gosto de mal falar; [...] se sabe
> afrontada na manifestação discriminatória de raça,
> de gênero, de classe; [...] é inseparável da prática
> educativa, não importando se trabalhamos com
> crianças, jovens ou adultos [...] (PA: 17).

EVASÃO E FRACASSO ESCOLAR: São eufemismos que imputam ao estudante uma responsabilidade que não é sua. O que há é uma escola que não atende a uma faixa da população, que não atinge as diferentes classes sociais, prevendo diferentes formas de aprendizado – ou seja, o que existe é uma educação feita por uma elite, para essa mesma elite. O aluno que não se encaixar nos parâmetros "desejáveis" terá dificuldades de assimilar os conteúdos estabelecidos, muito distantes que são da sua realidade. Para evitar a evasão e o fracasso escolar, é necessário entender a realidade circundante, promovendo uma aprendizagem a partir dessa realidade.

> ➤ A luta hoje tão atual contra os alarmantes índices de reprovação que gera a expulsão de escandaloso número de crianças de nossas escolas, fenômeno que a ingenuidade ou a malícia de muitos educadores e educadoras chama de evasão escolar, dentro do capítulo do não menos ingênuo ou malicioso conceito de fracasso escolar. No fundo, esses conceitos todos são expressões da ideologia dominante que leva as instâncias de poder, antes mesmo de certificar-se das verdadeiras causas do chamado "fracasso escolar", a imputar a culpa aos educandos (CC: 125).
>
> Para mim, o problema não é evasão, é expulsão. As escolas expulsam muito mais do que delas se evadem os alunos. Esse é um problema que tem de ser discutido, criticado, analisado. Em um determinado momento o adolescente descobre — e descobre sofridamente — que a escola não bate com as dúvidas dele, que a escola não corresponde às suas ansiedades. E, tanto quanto ele possa, o adolescente deixa a escola. No fundo a escola não

se tornou capaz de evitar que o adolescente não encontrasse nada, nenhum sentido nela.

Essa é uma das razões, mas há outras razões de natureza pedagógica e de natureza política também. A discriminação de natureza de classe na questão da linguagem. A escola pretendendo impor a sintaxe branca, sintaxe da classe dominante, e o menino da classe trabalhadora sendo criticado, sendo diminuído nos seus textinhos, nos seus trabalhos, riscados com lápis vermelho, levando "três", levando "zero". Isto se deve à inabilidade política e à incompetência científica que alguns professores e algumas professoras têm para lidar com a complexidade da linguagem (PSP: 253).

EXÍLIO: Entende o exílio como um trabalho dialético do sentido de ser, de poder e de passar a vivenciar o não poder. Freire, antes de 1964, é poder numa abrangência nacional, é um cidadão de notoriedade. De forma brusca, os resultados de seu trabalho e de suas ideias colocam-no na clandestinidade. O exílio, então, se apresenta para Freire como a síntese da contradição da vivência do poder e do não poder, o que o leva a aprender o país que o recebe e (re)aprender o seu próprio país.

➤ [...] confesso que, depois da experiência que vivi, eu me convenci de uma porção de coisas óbvias; entre elas, a de que a prática é que me fez decidir. É exatamente vivendo o momento. Você pode ter situações e situações de exílio. Há diferentes situações históricas em que a decisão do exílio se impõe. No fundo, o exílio é uma relação que se estabelece entre a pessoa que vai tomar a decisão de se exilar e a situação concreta que gera a necessidade do exílio (AH: 42).

Tenho a impressão de que falar um pouco das experiências que tive após o golpe de Estado, no exílio, tem a ver com a educação, na medida em que foi o próprio trabalho político-pedagógico meu anterior ao golpe que provocou o exílio. O exílio, nesse sentido, é altamente pedagógico, pois a gente se transplanta e é reeducado quando sai do contexto original em que se achava (AH: 79-80).

De qualquer maneira, comecei a aprender o Chile, e ia com os educadores chilenos para todo lugar para ouvir camponês falar. [...] O que de início considerei fundamental foi que aprendesse um mínimo de realidade do país (AH: 81-82).

EXISTIR: Ao existir, o homem dinamiza o seu diálogo num eterno dar e receber. No relacionamento do homem com o homem, nasce a fraternidade e o consenso de ajuda mútua; no relacionamento com o mundo, estabelece-se uma ponte de conhecimento e fruição; e com o Criador, aspira-se a eternidade e busca-se respostas existenciais.

➤ Ultrapassa viver porque é mais do que estar no mundo. É estar nele e com ele – (EPL: 48).

[...] é um conceito dinâmico. Implica uma dialogação eterna do homem com o homem. Do homem com o mundo. Do homem com o seu Criador – (EPL: 68).

F

FEMINISMO: Cabe às feministas, como às demais ditas "minorias", entenderem o quadro da opressão feminina, inserido no quadro mais amplo da opressão de todas as minorias, gerada por uma ideologia dominante. A questão está em libertar tanto homens quanto mulheres dos diversos quadros de opressão, não apenas na solução sectária de libertação da mulher da dominação masculina. Homens e mulheres são oprimidos e a transformação desse quadro se dará no diálogo, não por oposição.

> ➤ Para mim, a prática pedagógica correta para as feministas é compreender os diferentes níveis de opressão masculina e, ao mesmo tempo, criar estruturas pedagógicas nas quais os homens irão confrontar suas posições opressivas. Acredito que não é suficiente para as mulheres libertarem-se da opressão dos homens, que são, por sua vez, oprimidos pela sociedade como um todo, mas que juntos movam-se simultaneamente para cortar as correntes da opressão. Obviamente, homens precisam e mulheres oprimidas necessitam compreender suas diferentes posições nas estruturas opressivas para que, juntos, eles possam desenvolver estratégias efetivas e deixem de ser oprimidos. [...] Eu reconheço as diferenças sexuais que colocam tanto homem quanto mulheres em localizações opressivas, mas para mim a questão fundamental é a visão política de sexo e não a visão sexista de sexo. O que está em questão é a libertação e a criação de estruturas libertadoras, a principal questão tanto para homens quanto para mulheres (PSP: 265-266).

FOCALISTA: É a posição estática do conhecimento, que não percebe o todo, mas focaliza apenas as partes.

➤ Não é possível um compromisso verdadeiro com a realidade, e com os homens concretos que nela e com ela estão, se desta realidade e destes homens se tem uma consciência ingênua [...] meramente "focalista" da realidade, [que] não poderia constituir um compromisso (EM: 21).

FORMAÇÃO DO EDUCADOR: O educador democrático tem a dupla função de caminhar para sua completude como ser humano e como profissional, abrindo espaço para que o aluno também o faça, de modo que, se transformando individualmente, possa, também, fazê-lo coletivamente. A formação permanente do educador é, portanto, uma necessidade pedagógica e uma opção política. O professor tem direito à formação continuada, não apenas quanto a inovações tecnológicas, mas também quanto a sua atualização ampla e constante, que lhe proporcione uma visão cada vez mais ampla e profunda da realidade.

➤ Como é possível a formação de um educador sem uma excelente base de linguagem – não digo língua, porque a linguagem é bem mais que isso – e sem uma excelente base do discurso? E sem o conhecimento de história? Como você pode ser um bom educador, se não tem noção da história do seu país, da história da sua cultura, se nunca teve informações sobre as raízes autoritárias do país? (PSP: 240).

É preciso que haja luta, que haja protesto, que haja exigência e que os responsáveis, de maneira direta ou indireta, pela tarefa de formar entendam que formação é permanente. Não existe formação momentânea, formação do começo, formação do fim de carreira. Nada disso. Formação é uma experiência permanente, que não para nunca (PSP: 245).

FRACASSO ESCOLAR: V. EVASÃO E FRACASSO ESCOLAR.

FUTURO: Entende-se que o futuro não acontece numa relação de causalidade simples. O futuro será o que os homens farão dele agora, no presente – assim, caso comecem a construir um presente justo, o futuro será justo. A luta por um futuro já conhecido *a priori* prescinde de esperança. A história é feita pelos homens, a partir de sua decisão de nela intervir ativamente, conscientes de que o futuro é refeito na luta de todos os dias.

➤ Na concepção mecanicista da História, em que o futuro, desproblematizado, é algo conhecido por antecipação, o papel da educação é transferir pacotes de conhecimentos previamente sabidos como úteis à chegada do futuro já conhecido (CC: 149).

Na concepção dialética, por isso mesmo não mecanicista, da História, o futuro eclode da transformação do presente como um dado dando-se. Daí o caráter problemático e não inexorável do futuro (CC: 149).

G

GENEROSIDADE DO OPRESSOR: Entende-se que os dominantes se veem como generosos, quando pretendem ajudar o pobre a sair da miséria, e reagem violentamente a qualquer tentativa de alterar o que consideram ser a ordem natural da sociedade.

V. ASSISTENCIALISMO.

> Por isso é que, para os opressores, o que vale é ter mais e cada vez mais, à custa, inclusive, do ter menos ou nada ter dos oprimidos. Ser, para eles, é ter como classe que tem. [...] Por isto tudo é que a sua generosidade [...] é falsa (PO: 46).

GLOBALIZAÇÃO: É a ação "esmagadora", niveladora, dos poderosos sobre os mais fracos, gerando, por vezes, um estado fatalista, um "não pensar", e um agir segundo padrões impostos.

> Nada é possível de ser feito contra a globalização que, realizada porque tinha de ser realizada, tem de continuar seu destino, porque assim está misteriosamente escrito que deve ser. A globalização que reforça o mando das minorias poderosas e esmigalha e pulveriza a presença impotente dos dependentes, fazendo-os ainda mais impotentes, é destino dado. Em face dela não há outra saída senão que, cada um baixe a cabeça docilmente e agradeça a Deus porque ainda está vivo. Agradeça a Deus ou à própria globalização (PA: 129).

GRAMATICOIDE: É o ensino da gramática sem a devida contextualização, apresentada por aquele professor que insiste num ensino da gramática, restrito apenas à nomenclatura gramatical, à classificação pura e simples, sem levar o aluno à reflexão. A gramática deve voltar-se à reflexão em torno da linguagem e seu uso.

> Mulher, na verdade, extraordinária, Cecília era um misto de tradição e modernidade. [...] Latinis-

ta, gramática sem ser gramaticoide, pianista, tão amorosa dos chorinhos brasileiros quanto da criação dos Beethoven, dos Mozart (CC: 78).

Foi Cecília quem despertou em mim o gosto quase incontido, que me acompanha até hoje, pela linguagem, que comportou, num primeiro momento, o prazer pelos estudos de gramática sem resvalar jamais para as gramatiquices (CC: 79).

Na verdade, minha paixão nunca se centrou na gramática pela gramática, daí que não tenha jamais corrido o risco de resvalar para o desgosto da gramatiquice. Minha paixão se moveu sempre na direção dos mistérios da linguagem, na busca, se bem que não angustiada, inquieta, do momento de sua boniteza. Daí o prazer com que me entregava, sem hora marcada para terminar, à leitura de Gilberto Freyre, de Machado de Assis, de Eça de Queiroz, de Lins do Rego, de Graciliano Ramos, de Drummond, de Manuel Bandeira (CC: 112).

GUETICIZAÇÃO DAS MINORIAS: É impossível, numa visão democrática de mundo, uma análise setorial da realidade opressora. Essa atitude analítica, que reinscreve os dados de onde estes foram retirados, se não se fizer acompanhada da re-admiração, produzirá visões parciais. Um grupo oprimido, que setorializa sua visão para o recorte de sua situação e não relaciona esse recorte com os quadros de opressão mais amplos, poderá ter pequenas conquistas, mas a transformação global do espaço social continuará em descompasso. A análise rigorosa da situação de cada minoria aponta para a origem comum da desigualdade, independentemente do grupo minoritário a que se refira. A análise freireana aponta, como origem comum do quadro opressivo, que as minorias não se reconheceram como a *maioria oprimida* por uma *minoria opressora* e nem perceberam que uma ação coletiva terá maiores oportunidades de concluir a transformação, visando a uma sociedade mais igualitária.

V. FEMINISMO.

➤ [...] falta de claridade ideológica incrementa o que chamei lá de "gueticização" das chamadas minorias. Isto é, cada minoria étnico-cultural se vê a si mesma como absoluta; pensa na solução de seus problemas a partir dela e com ela, sem nenhuma análise dos estratos sociais que se formam no seu interior. Desta forma, tendem a pensar-se como se fossem categorias metafísicas, com uma essência imutável. Chicano é chicano, negro é negro, índio é índio. Nenhuma relação entre eles e o capitalismo. [...] a "contradição principal" [é] encoberta e, em seu lugar, [aparecem] "aspectos principais" da contradição principal, como se fossem esta. Blackness and whiteness, para os negros, chicanos e brancos para os chicanos e há até chicanos que consideram os negros como seus opressores. [...] uma percepção paroquial ou focalista dos problemas e não uma visão da totalidade. As chamadas minorias ainda não perceberam, de modo geral [...], que a única minoria real é a classe dominante. Daí que lhes pareça estranho que o seu único caminho seja a unidade na diversidade [...] (PSP: 285-286).

H

HISTÓRIA: Representa a mobilidade, o movimento, a capacidade de envolver-se e de fazer-se enquanto ser ético, político, regido pela esperança na constante busca de igualdade de oportunidades. Na história, pulsa a responsabilidade para a ação dialética que sobrepuja a confinação para a imobilização do não ser; o tempo de possibilidade abre espaço para a superação do "vir a ser", desacreditando em uma razão inexorável que aniquila e aprisiona para o "não ser".

> [...] a História é tempo de possibilidades e não de determinismo, que o futuro, permita-se-me reiterar, é problemático e não inexorável (PA: 21).

[...] Gosto de ser gente porque a História em que me faço com os outros e de cuja feitura tomo parte é um tempo de possibilidades não de determinismo. Daí que insista tanto na problematização do futuro e recuse sua inexorabilidade (PA: 58).

HOMEM: É o homem um "ser no mundo", com a impossibilidade de ser diferente disso. O mundo é o palco de seus movimentos e o mobiliário do mundo, o de suas realizações, onde o indivíduo pensa, age e sofre os resultados de sua ação. O mundo sem o homem não teria sentido; o homem sem o mundo seria uma impossibilidade.

O homem é o único ser capaz de reconhecer a si mesmo e ao outro, de distinguir, julgar, refletir, construir, modificar conscientemente pela ação e pela razão, envoltas pelo sentimento, transcendendo a esfera da materialidade, do imediatismo, das percepções têmporo-espaciais.

O homem, diferentemente dos outros seres, não se deixa levar por seus instintos primários, tão somente, antes, atua de forma a transformar a sua realidade. Ele o faz através da concepção de ideias, pelo pensamento, refletindo sobre tudo o que o cerca, inclusive sobre si mesmo. O homem, quando despertado para a consciência de sua inconclusão, nunca descansa de pretender sempre mais na busca do saber, por isso está sempre se superando, numa corrida dialética na construção do seu próprio saber.

> Que não pode ser compreendido fora de suas relações com o mundo, de vez que é um "ser em situação", é também um ser do trabalho e da transformação do mundo. O homem é um ser da "práxis", da ação e da reflexão. Nestas relações com o mundo, através de sua ação sobre ele, o homem se encontra marcado pelos resultados de sua própria ação. Atuando, transforma; transformando, cria uma realidade que, por sua vez, "envolve-o", condiciona sua forma de atuar. Não há, por isto mesmo, possibilidade de dicotomizar o homem do mundo, porque não existe um sem o outro (EC: 28).

> Somente o homem, como um ser que trabalha, que tem um pensamento-linguagem, que atua e é capaz de refletir sobre si mesmo e sobre a sua própria atividade, que dele se separa, somente ele, ao alcançar tais níveis, se fez um ser da práxis (EC: 39).

> [...] enquanto o animal é essencialmente um ser da acomodação e do ajustamento, o homem o é da integração. A sua grande luta vem sendo, através dos tempos, a de superar os fatores que o fazem acomodado ou ajustado (EPL: 51).

> [...] A educação é possível para o homem, porque este é inacabado e sabe-se inacabado. [...] (EM: 28).

HOMEM COMO OBJETO DA AÇÃO EDUCATI-VA: É o homem simples, que não desenvolveu uma linguagem rebuscada, nem se pautou pelas leis do conhecimento científico e que sempre foi desvalorizado, por ser julgado incapaz de atitudes que mudassem seu próprio quadro de dominado. Assim, o tratamento a ele reservado era o de reforçar sua crença na impossibilidade de vir a conhecer, e, com o conhecimento, vir a satisfazer as exigências do saber e caminhar para o saber mais, rompendo com este fatalismo de ignorância.

> ➤ [...] Uma subestimação do seu poder de refletir, de sua capacidade de assumir o papel verdadeiro de quem procura conhecer: o de sujeito desta procura. Daí a preferência por transformá-lo em objeto do "conhecimento" que se lhe impõe. Daí este afã de fazê-lo dócil e paciente recebedor de "comunicados", que se lhe introjetam, quando o ato de conhecer, de aprender, exige dos homens uma postura impaciente, inquieta, indócil. Uma busca que, por ser busca, não pode conciliar-se com a atitude estática de quem simplesmente se comporta como depositário do saber. Esta descrença no homem simples revela, por sua vez, um outro equívoco: a absolutização de sua ignorância (EC: 46).

HOMEM COMO UM SER DE RELAÇÕES: Entende-se o homem como um ser de relações, quando assume seu papel de sujeito em ação, ou seja, quando passa a pensar e a agir, integrando-se em seu contexto socioeconômico-cultural. Essa integração torna-o um ser crítico, analítico e, consequentemente, atuante – conferindo sentido aos domínios histórico e cultural.

> ➤ Há uma pluralidade nas relações do homem com o mundo, na medida em que o homem responde aos desafios deste mesmo mundo [...] (EM: 62).

A sua integração o enraíza e lhe dá consciência de sua temporalidade. Se não houvesse essa integração, que é uma característica das relações do homem e que se aperfeiçoa na medida em que esse se faz crítico, seria apenas um ser acomodado e, então, nem a história nem a cultura – seus domínios – teriam sido (EM: 63).

[...] homem, ser de relações e não só de contatos [...] (EPL: 47).

HOMEM DESENRAIZADO: Qualifica o homem que está fora do âmbito das decisões, comandado e alienado pelos meios de comunicação.

➤ Excluído da órbita das decisões, cada vez mais adstritas a pequenas minorias, é comandado pelos meios de publicidade, a tal ponto que em nada confia ou acredita, se não ouviu no rádio, na televisão ou não se leu nos jornais.

Daí a sua identificação com formas míticas de explicação do seu mundo. Seu comportamento é o do homem que perde dolorosamente seu endereço. É o homem desenraizado (EPL: 98-99).

HOMEM E SUA ÉPOCA: Formam-se as épocas históricas na medida em que o homem, sujeito que é, pensa, cria, recria e decide. Os temas e as tarefas de cada época estão relacionados às aspirações, aos desejos, aos valores, aos comportamentos, às atitudes, às formas de ser e às realizações do ser humano.

➤ [...] Uma época, por outro lado, realiza-se na proporção em que seus temas forem captados e suas tarefas resolvidas. E se supera na medida em que os temas e as tarefas não correspondem a novas ansiedades emergentes (EM: 64).

HOMEM-LATA: Caracteriza o homem receptor de informações, que se desenvolve unicamente alicerçado em acúmulos e não em reflexões. É aquele que aceita tudo com facilidade, não questiona e não se posiciona diante dos desafios e obstáculos e isola-se cada vez mais do processo de interação social.

> ➤ Deformados pela acriticidade, não são capazes de ver o homem na sua totalidade, no seu quefazer-ação-reflexão, que sempre se dá no mundo e sobre ele. Pelo contrário, será mais fácil, para conseguir seus objetivos, ver o homem como uma "lata" vazia que vão enchendo com seus "depósitos" técnicos. Mas ao envolver desta forma sua ação, que tem sua incidência neste "homem-lata", podemos melancolicamente perguntar: "onde está seu compromisso verdadeiro com o homem, com sua humanização?" (EM: 23).

HOMEM MÁGICO: É aquele que, incapaz de perceber e descrever corretamente as relações mediatizadoras de um fenômeno, procura em outras fontes a inspiração para descrevê-lo. O homem mágico não age desse modo por incredulidade na ciência, mas porque seu mundo "funciona" assim. É o mágico e o insólito que controlam seus acontecimentos e as relações fenomenais.

> ➤ Ao perceber um fato concreto da realidade sem que o "ad-mire", em termos críticos, para poder "mirá-lo" de dentro, perplexo frente a aparência do mistério, inseguro de si, o homem se torna mágico. Impossibilitado de captar o desafio em suas relações autênticas com os outros fatos, atônito ante o desafio, sua tendência, compreensível, é buscar, além das relações verdadeiras, a razão explicativa para o dado percebido. Isto se dá, não

apenas com relação ao mundo natural, mas também quanto ao mundo histórico-social (EC: 29).

HOMEM NO MUNDO: Tem como realização precípua a "ad-miração" do mundo e, imerso nessa vocação fundamental, atua agindo, refletindo, decodificando, buscando respostas. Do mundo advêm todas as suas respostas, bem como todas as suas inquietações e aflições. É nesse paradoxo que se insere a sua contingência e sua visão crítica da realidade.

V. HOMEM; MUNDO.

> ⟩ Como um ser da ação e da reflexão, é a de "admirador" do mundo. Como um ser de atividade que é capaz de refletir sobre si e sobre a própria atividade que dele se desliga, o homem é capaz de "afastar-se" do mundo para ficar nele e com ele. Somente o homem é capaz de realizar esta operação, de que resulta sua inserção crítica na realidade (EC: 31).

HOMEM RADICAL: É aquele que, convicto de suas ideias, tenta convencer e converter o outro, mas sem repressão.

> ⟩ O homem radical na sua opção não nega o direito ao outro de optar. Não pretende impor a sua opção. Dialoga sobre ela. Está convencido de seu acerto, mas respeita no outro o direito de também julgar-se certo. Tenta convencer e converter, e não esmagar o seu oponente (EPL: 58).

HUMANIDADE: É a característica dada à dignidade e à respeitabilidade de todos os homens, iguais perante o Criador e a sociedade.

➤ Os oprimidos, nos vários momentos de sua libertação, precisam reconhecer-se como homens, na sua vocação ontológica e histórica de ser mais. A reflexão e a ação se impõem, quando não se pretende, erroneamente, dicotomizar o conteúdo da forma histórica, de ser do homem (PO: 52).

HUMANISMO: Constitui tendência de pensamento que busca a coerência social e a ética na estrutura da humanidade, onde o respeito e a valorização são indispensáveis para a sua prática.

Atendo-se à educação, o humanismo freireano propõe a elevação concreta do ser humano como sujeito pensante, por meio de seu desenvolvimento integral e da transformação das estruturas sociais.

➤ [...] o humanismo que se impõe ao trabalho de comunicação entre técnicos e camponeses no processo da reforma agrária, se baseia na ciência, e não na "doxa", e não no "eu gostaria que fosse" ou em gestos puramente humanitários (EC: 73).

É um humanismo que, pretendendo verdadeiramente a humanização dos homens, rejeita toda forma de manipulação, na medida em que esta contradiz sua libertação (EC: 74).

Humanismo, que vendo os homens no mundo, no tempo, "mergulhados" na realidade, só é verdadeiro enquanto se dá na ação transformadora das estruturas em que eles se encontram "coisificados", ou quase "coisificados" (EC: 74).

HUMILDADE: Corresponde à atitude reguladora, de "recolhimento", em respeito e consideração ao próximo, que permite, inclusive, "escutá-lo".

➤ [...] o respeito às diferenças e obviamente aos diferentes exige de nós a humildade que nos adverte dos riscos de ultrapassagem dos limites além dos quais a nossa autovalia necessária vira arrogância e desrespeito aos demais. É preciso afirmar que ninguém pode ser humilde por puro formalismo como se cumprisse mera obrigação burocrática. A humildade exprime, pelo contrário, uma das raras certezas de que estou certo: a de que ninguém é superior a ninguém. A falta de humildade, expressa na arrogância e na falsa superioridade de uma pessoa sobre a outra, de um gênero sobre o outro, de uma classe ou de uma cultura sobre a outra, é uma transgressão da vocação humana do ser mais (PA: 137).

I

IDEOLOGIA FATALISTA: Caracteriza o levar ou deixar-se levar pelo conformismo, pela passividade, pela não atuação e pela negação da própria essência humana. Parte do princípio de que a realidade social que nos circunda não é histórica ou cultural, mas "quase natural", sendo, portanto, imutável.

> ➤ [...] é "imobilizante"; "anima o discurso neoliberal"; tem "ares de pós-modernidade"; insiste em convencer-nos de que nada podemos contra a realidade social que, de histórica e cultural, passa a ser ou a virar "quase natural"; expressa uma "indiscutível vontade mobilizadora"; nos nega e amesquinha como gente (PA: 21-22).

INÉDITO VIÁVEL: É a crença no sonho possível e na utopia que virá, desde que aqueles que fazem a história assim o queiram. É a última instância que o sonho utópico sabe que existe, mas que só se alcança pela práxis libertadora.

> ➤ Nas situações-limites, mais além das quais se acha o "inédito viável" às vezes perceptível, às vezes não, se encontram razões de ser para ambas as posições: a esperançosa e a desesperançosa (PE: 138).

INFORMAÇÃO/FORMAÇÃO: É a relação que permite definir o homem como o único ser capaz de aprender e transformar o que aprendeu em ação. Assim, caso o conhecimento não seja utilizado de maneira prática, de nada adiantará. Do mesmo modo, o excesso de informação, quando não visa a melhoria e o aperfeiçoamento da sociedade, de nada vale. A *informação* precisa se traduzir em *formação* – informação digerida, pensada, introjetada e posta em prática, ou seja, informação que cria um novo mundo a partir do dado.

> ➤ Na verdade, toda informação traz em si a possibilidade de seu alongamento em formação, desde que os conteúdos constituintes da informação sejam assenhoreados pelo informado e não por ele engolidos ou a ele simplesmente justapostos (CC: 136).
>
> A informação é comunicante, ou gera comunicação, quando aquele, a quem se informa algo, apreende a substantividade do conteúdo sendo informado, quando o que recebe a informação vai mais além do ato de receber e, recriando a recepção, vai transformando-a em produção de conhecimento do comunicado, vai se tornando também sujeito do processo de informação que vira por isso formação (CC: 136).

INQUIETAR O ORIENTANDO: É fundamental, na relação orientador-orientado, que o orientador provoque questionamentos e dúvidas no orientando. Não a dúvida que inibe e embaraça, mas aquela que faz o orientando buscar respostas, investigar fatos e vencer limitações. Há momentos em que o orientando precisa sentir segurança no saber do orientador, entendendo que suas dúvidas e incertezas mais atrozes serão dirimidas. Neste sentido, se a intranquilidade exagerada acaba por inibir o orientando, trazendo-lhe o desânimo; já a tranquilidade não instiga novos conhecimentos, daí a necessidade de inquietação.

➤ O papel do orientador que realmente orienta, que acompanha as dúvidas do orientando, a que sempre junta mais dúvidas, é, de maneira aberta, amiga, ora quietar, ora inquietar o orientando. Aquietar com resposta segura, com sugestão oportuna, com bibliografia necessária, que o levarão contudo à nova inquietação. A quietude não pode ser um estado permanente. Só na relação com a inquietude é que a quietude tem sentido (CC: 215-216).

INSERÇÃO CRÍTICA: É a tomada de consciência pelo indivíduo oprimido de sua realidade, da existência da relação opressor-oprimido, de seus mecanismos e efeitos. Não basta, portanto, que o indivíduo seja consciente de que faz parte da sociedade; almeja-se que este conheça o seu papel na coletividade e que seja capaz de questioná-lo a fim de produzir transformações.

➤ Por isto, inserção crítica e ação já são a mesma coisa. Por isto também é que o mero reconhecimento de uma realidade que não leve a esta inserção crítica (ação já) não conduz a nenhuma transformação da realidade objetiva, precisamente porque não é reconhecimento verdadeiro (PO: 38).

INTEGRAÇÃO: Representa o procedimento ativo e refletido de alguém que mantém desperta a capacidade de escolha, que interage com as decisões que lhe são propostas, que decide e influencia como sujeito pensante.

> ➤ A partir das relações do homem com a realidade, resultantes de estar com ela e de estar nela, pelos atos de criação, recriação e decisão, vai ele dinamizando o seu mundo. Vai dominando a realidade. Vai humanizando-a. Vai acrescentando a ela algo de que ele mesmo é o fazedor. Vai temporalizando os espaços geográficos. Faz cultura. E é ainda o jogo destas relações do homem com o mundo e do homem com os homens, desafiado e respondendo ao desafio, alterando, criando, que não permite a imobilidade, a não ser em termos de relativa preponderância, nem das sociedades nem das culturas. E, na medida em que cria, recria e decide, vão se conformando as épocas históricas. É também criando, recriando e decidindo que o homem deve participar destas épocas. E o fará melhor, toda vez que, integrando-se ao espírito delas, se aproprie de seus temas fundamentais, reconheça suas tarefas concretas (EPL: 51).

INVASÃO CULTURAL: É própria da ação antidialógica e representa o extermínio sistemático ou assistemático de quem é invadido naquilo que tem de mais próprio e seu: a sua forma de ver o mundo e como concebê-lo. Entende-se como a imposição de outros valores, crenças e ideias que não se relacionam com quem os recebe. A invasão cultural assinala uma agressão, lenta e gradual, que triunfa deixando o invadido subjugado e sem condições de reagir, por julgar assumido e seu aquilo que outrora lhe fora imposto.

O opressor tem a intenção constante de impor ao oprimido a sua visão de mundo e sua cultura. Esta imposição, além de procurar sufocar a cultura do oprimido, pretende fazer com que ele permaneça inerte, aceitando e aderindo à cultura opressora e, por fim, tornando-se incapaz de exteriorizar sua própria visão da realidade ou de reagir às colocações constantemente feitas pelo opressor. O resultado disto é justamente o pretendido pelo opressor, a manutenção do *status quo*.

> ➤ Toda invasão cultural sugere, obviamente, um sujeito que invade. Seu espaço histórico-cultural, que lhe dá sua visão de mundo, é o espaço de onde ele parte para penetrar outro espaço histórico-cultural, superpondo aos indivíduos deste seu sistema de valores.
>
> O invasor reduz os homens do espaço invadido a meros objetivos de sua ação.
>
> As relações entre invasor e invadidos, que são as relações autoritárias, situam seus pólos em posições antagônicas (EC: 41).
>
> Assim é que toda invasão cultural pressupõe a conquista, a manipulação e o messianismo de quem invade (EC: 42).
>
> Desrespeitando as potencialidades do ser a que condiciona, a invasão cultural é a penetração que fazem os invasores no contexto cultural dos invadidos, impondo a estes sua visão do mundo, enquanto lhes freiam a criatividade, ao inibirem sua expansão (PO: 149).

L

LATIFÚNDIO: É uma usurpação que, como aparelho do poder constituído, além da posse da terra, procura perpetuar o *status quo* opressor. Nele, uma minoria pensa, desenvolve, estabelece e decide regras de comportamento e de direitos que se impõem a uma maioria amorfa e sem nenhuma possibilidade de inverter ou subverter o processo. Na distância infinita entre um e outro pólo desse jogo de poder, concebem-se duas vertentes ideológicas: os "naturalmente inferiores", e os "naturalmente superiores". Deste modo, a posse da terra não é só um instrumento de poder e controle econômico, mas também uma legitimação para o domínio até mesmo da alma e do futuro dos homens.

> ➤ [...] O latifúndio, como estrutura vertical e fechada, é, em si mesmo, antidialógico. Sendo uma estrutura fechada que obstaculiza a mobilidade social vertical ascendente, o latifúndio implica uma hierarquia de camadas sociais em que os estratos mais "baixos" são considerados, em regra geral, como naturalmente inferiores. Para que estes sejam assim considerados, é preciso que haja outros que desta forma os considerem, ao mesmo tempo em que se considerem a si mesmos como superiores. A estrutura latifundista, de caráter colonial, proporciona ao possuidor da terra, pela força e prestígio que tem, a extensão de sua posse também até os homens (EC: 48).

LEITURA DE MUNDO: Possibilita a decifração e a interpretação crítica e analítica das situações-limites, a partir da percepção do indivíduo e da maneira como este aprendeu a se relacionar *no* e *com* o mundo.

➤ Como educador, preciso ir "lendo" cada vez melhor a leitura do mundo (grifo meu) que os grupos populares com quem trabalho fazem de seu contexto imediato e do maior de que este é parte [...] não posso de maneira alguma, nas minhas relações político-pedagógicas com os grupos populares, desconsiderar seu saber de experiência feito. Sua explicação do mundo de que faz parte a compreensão de sua própria presença no mundo. E isso tudo vem explicitado ou sugerido ou escondido no que chamo de "leitura do mundo" que precede sempre a "leitura da palavra" (PA: 90).

[...] revela, evidentemente, a inteligência do mundo que vem cultural e socialmente se constituindo. Revela também o trabalho individual de cada sujeito no próprio processo de assimilação da inteligência do mundo (PA: 139).

É a leitura do mundo exatamente a que vai possibilitando a decifração cada vez mais crítica da ou das situações-limites (PE: 106).

O que é que eu quero dizer com dicotomia entre ler as palavras e ler o mundo? Minha impressão é que a escola está aumentando a distância entre as palavras que lemos e o mundo em que vivemos. Nessa dicotomia, o mundo da leitura é só o mundo do processo de escolarização, um mundo fechado, isolado do mundo onde vivemos experiências sobre as quais não lemos. Ao ler palavras, a escola se torna um lugar especial que nos ensina a ler apenas as "palavras da escola", e não as "palavras da realidade". O outro mundo, o mundo dos fatos, o mundo da vida, o mundo no qual os eventos estão muito vivos, o mundo das lutas, o mundo da discriminação e da crise econômica (todas essas coisas estão aí), não tem contato algum com os alunos na escola através das palavras que a escola exige que eles leiam. Você pode pensar nessa dicotomia como uma espécie de "cultura do silêncio" imposta aos estudantes. A leitura da escola mantém silêncio a respeito do mundo da experiência, e o mundo da experiência é silenciado sem seus textos críticos próprios (ALMLP: 164).

LEITURA VERDADEIRA: Refere-se ao envolvimento necessário para que se efetive toda leitura crítica, facultando a aprendizagem e a mudança.

> ➤ [...] é crítica; me compromete de imediato com o texto que a mim se dá e a que me dou, e de cuja compreensão fundamental me vou tornando também sujeito (PA: 30).

LER: É um processo difícil e penoso, mas, ao mesmo tempo, prazeroso. É preciso que o leitor mergulhe profundamente no universo do texto para poder compreender sua verdadeira significação. Quanto mais se realiza esse processo com disciplina, mais fáceis e acessíveis se tornam as próximas leituras.

> ➤ [...] implica que o(a) leitor(a) se adentre na intimidade do texto para aprender sua mais profunda significação. Quanto mais fazemos o exercício disciplinadamente, vencendo todo desejo de fuga da leitura, tanto mais nos preparamos para tornar futuras leituras menos difíceis (PE: 76).

LER UM TEXTO: Ler um texto não é apenas "passear" pelas palavras, mas entender a profunda relação que se dá entre elas para poder finalmente compreender o significado do discurso. Para isso é necessário humildade, determinação e espírito crítico. Supõe, ainda, uma análise crítica a respeito do objeto da leitura, para que se possa entrar na sua intimidade e apreender o real significado exposto pelo autor. Para tanto, não podemos desistir diante da dificuldade de entendimento de algum trecho; ao contrário, esse momento exige maior dedicação, e persistência, recorrendo a outros instrumentos de trabalho como, por exemplo, os dicionários.

> ➤ Ler um texto é algo mais sério, mais demandante. Ler um texto não é "passear" licenciosamente, pachorrentamente, sobre as palavras. É apreender como se dão as relações entre as palavras na composição do discurso. É tarefa de sujeito crítico, humilde, determinado. Ler, enquanto estudo, é um processo difícil, até penoso, às vezes, mas sempre prazeroso também. Implica que o(a) leitor(a) se adentre na intimidade do texto para apreender sua mais profunda significação (PE: 76).

LIBERTAÇÃO: Constitui um dilema para os oprimidos, já que experimentam uma dualidade: descobrem que, sendo livres, nunca o chegam a ser de fato, pois querem ser livres, mas porque neles habita a consciência opressora, temem a liberdade. O trágico dilema dos oprimidos é o medo de sua humanidade, castrada pelas forças opressoras. A libertação é vista como movimento interno; um sair de um mundo fechado, limitado e escuro. O exercício da liberdade é um constante êxodo, um movimento que surge de dentro do ser e que, no caso, deve partir dos próprios oprimidos.

➤ A libertação, por isto, é um parto. E um parto doloroso. O homem que nasce deste parto é um homem novo que só é viável na e pela superação da contradição opressores-oprimidos, que é a libertação de todos.

A superação da contradição é o parto que traz ao mundo este homem novo não mais opressor; não mais oprimido, mas homem libertando-se (PO: 35).

LIBERTAÇÃO AUTÊNTICA: É aquela capaz de fazer do indivíduo oprimido um ser consciente de sua realidade, da realidade do mundo que o cerca, das forças que controlam aquela realidade (dualidade entre opressores e oprimidos). Será livre aquele que puder questionar o estado das coisas que o cercam e, o que é mais relevante, capaz de fazer parte deste contexto como agente transformador.

➤ [...] A libertação autêntica, que é a humanização em processo, não é uma coisa que se deposita nos homens. Não é uma palavra a mais, oca, mitificante. É práxis, que implica a ação e a reflexão dos homens sobre o mundo para transformá-lo (PO: 67).

LIMITE: É castrador o limite numa relação pedagógica apenas quando ocorre desigualdade na relação educador-educando e o professor torna-se opressor de seus alunos. Também é castrador quando há licenciosidade, quando a liberdade do aluno conduz o processo, sem que haja uma condução segura do docente, voltada para a formação crítica de seu aluno. Limite somente significa punição, tristeza, conformismo e ausência de liberdade, na relação estabelecida pela educação bancária. Na relação dialógica, limite é o que dá parâmetros para que a consciência crítica se construa, a curiosidade se qualifique e o conhecimento transforme aluno e professor.

> Eu acho que a liberdade não se autentica sem o limite da autoridade, mas o limite que a autoridade se deve propor a si mesma, para propor ao jovem a liberdade, é um limite que necessariamente não se explicita através de castigos. Eu acho que a liberdade precisa de limites, a autoridade inclusive tem a tarefa de propor os limites, mas o que é preciso, ao propor os limites, é propor à liberdade que ela interiorize a necessidade ética do limite, jamais através do medo.

> A liberdade que não faz uma coisa porque teme o castigo não está "eticizando-se". É preciso que eu aceite a necessidade ética, aí o limite é compromisso e não mais imposição, é assunção. O castigo não faz isso. O castigo pode criar docilidade, silêncio. Mas os silenciados não mudam o mundo (PSP: 250).

LIMITES DA LIBERDADE: É necessário ao conhecimento, ao aprendizado com o exercício da autoridade, saber dosar a liberdade. Se não houver liberdade para a aprendizagem, a criatividade fica restrita. Ao mesmo tempo, se não houver autoridade do professor para estabelecer um clima de aprendizado adequado, em que o professor deixe os alunos fazerem o que bem entenderem, a formação ficará deficiente. A liberdade não se confunde com licenciosidade. Embora a relação entre professor-aluno deva ser sempre democrática, o professor é quem detém o conhecimento; o aluno é a quem vai ser ensinado o conteúdo.

> Cedo percebi que, no diálogo com os pais, não haveria possibilidade nenhuma de êxito se

lhes aparecêssemos como estivéssemos defendendo posições licenciosas. Posições permissivas em que, em nome da liberdade, terminávamos contra ela, pela falta total do papel limitador da autoridade (CC: 129).

Nenhuma dessas posições, a autoritária ou a licenciosa, trabalha em favor da democracia. É neste sentido, por isso, que viver bem a tensão entre autoridade e liberdade se torna, em casa como na escola, algo da mais alta importância.

A liberdade que assume seus limites necessários é a que luta aguerridamente contra a hipertrofia da autoridade. Quão equivocados estão os pais que tudo permitem aos filhos, muitas coisas, às filhas, ora porque, dizem, tiveram infância e adolescência difíceis, ora porque, afirmam, querem filhas e filhos livres (CC: 197).

LÍNGUA: É resultante e reflexo dos traços culturais, costumes e valores de uma sociedade, sendo constantemente atualizada pelas forças que dominam o ambiente social. Assim, a possibilidade de acesso ao conhecimento em geral e ao conhecimento contido na própria língua depende da estrutura social e da forma como a estratificação e a interação entre as classes sociais definem o acesso e a forma de reconhecimento e aplicação da linguagem às ações e necessidades sociais.

> ➤ A língua também é cultura. Ela é a força mediadora do conhecimento; mas também é, ela mesma, conhecimento. Creio que tudo isso passa também através das classes sociais. Uma pedagogia crítica propõe essa compreensão cultural dinâmica e contraditória, e a natureza dinâmica e contraditória da educação como um objeto permanente de curiosidade por parte dos educandos (ALMLP: 35).

LOCALIDADE DOS EDUCANDOS: É o ponto de partida para o conhecimento; é o patamar de conhecimento em que cada um se encontra.

> ➤ A localidade dos educandos é o ponto de partida para o conhecimento que eles vão criando do mundo. Seu mundo, em última análise é a primeira e inevitável face do mundo mesmo (PA: 86).

LOGOS: É o verdadeiro saber, que tem como inspiração a consciência da ignorância do saber absoluto. É o que impulsiona a busca do saber e sempre do saber mais, porque é o ser humano um ser em construção, com um saber em consecução.

> ➤ [...] é o verdadeiro saber [...]. O saber começa com a consciência do saber pouco (enquanto alguém atua). É sabendo que sabe pouco que uma pessoa se prepara para saber mais. Se tivéssemos um saber absoluto, já não poderíamos continuar sabendo, pois que este seria um saber que não estaria sendo. Quem tudo soubesse já não poderia saber, pois não indagaria [...] (EC: 47).

M

MANIPULAÇÃO: É a ferramenta utilizada pela classe opressora para mascarar a realidade a fim de que os oprimidos não tenham consciência de como ela realmente é e, assim, continuem percebendo a realidade tal qual interessa aos opressores, sem qualquer tipo de contestação ou reação, seja contra a realidade, seja contra a atuação dos agentes opressores. A manipulação se dá por diversas técnicas, dentre as quais a adoção de mitos, sendo todas criadas com o fim de ocultar a realidade aos oprimidos. Tem como antagônica, na teoria dialógica da ação, a organização.

> Outra característica da teoria da ação antidialógica é a manipulação das massas oprimidas. [...] a manipulação é instrumento de conquista, em torno de que todas as dimensões da teoria da ação antidialógica vão girando (PO: 144).

MANUTENÇÃO DO *STATUS QUO*: Define o interesse básico das minorias opressoras. Estas, a fim de conquistar a maioria oprimida com seu discurso sobre a realidade, criaram algumas "verdades" que são comunicadas à exaustão nos meios de comunicação de massa, até que sejam, finalmente, aceitas pelos oprimidos como verdades absolutas, indiscutíveis. Aceitas tais "verdades", o oprimido passa a acreditar em tudo aquilo que o opressor sustenta e, por fim, consegue-se minar toda e qualquer vontade de reação do oprimido contra o opressor.

> Esta "aproximação", que não pode ser feita pela comunicação, se faz pelos "comunicados", pelos "depósitos" dos mitos indispensáveis à manutenção do status quo (PO: 137).

MASSIFICAÇÃO: É a situação na qual o homem perde a individualidade e o poder de decidir sobre sua própria ação.

> Entendemos por massificação [...] um estado no qual o homem, ainda que pense o contrário, não decide. Massificação é desumanização, é alienação (EC: 42).

MÍDIA: São meios de comunicação com tendências impositivas, levando à reprodução de comportamentos não refletidos; talvez sejam o maior desafio à educação e, por isso mesmo, não podem ser ignorados.

➤ Como enfrentar o extraordinário poder da mídia, da linguagem da televisão, de sua "sintaxe" que reduz a um mesmo plano o passado e o presente e sugere que o que ainda não há já está feito. Mais ainda, que diversifica temáticas no noticiário sem que haja tempo para reflexão sobre os variados assuntos. [...] Como educadores e educadoras progressistas não apenas não podemos desconhecer a televisão mas devemos usá-la, sobretudo, discuti-la. Não temo parecer ingênuo ao insistir não ser possível pensar sequer em televisão sem ter em mente a questão da consciência crítica. É que pensar em televisão ou na mídia em geral nos põe o problema da comunicação, processo impossível de ser neutro. Na verdade, toda comunicação é comunicação de algo, feita de certa maneira em favor ou na defesa, sutil ou explícita, de algum ideal contra algo e contra alguém, nem sempre claramente referido. Daí também o papel apurado que joga a ideologia na comunicação, ocultando verdades mas também a própria ideologização no processo comunicativo. [...] Quanto mais nos sentamos diante da televisão – há situações de exceção – [...] tanto mais risco corremos de tropeçar na compreensão de fatos e de acontecimentos. A postura crítica e desperta nos momentos necessários não pode faltar (PA: 157-158).

MINORIA: Trata-se de termo ideologicamente marcado, referente a segmentos da população oprimida, que não têm espaço de ação ou manifestação. Muitas vezes, sua utilização é meramente um recurso de sustentação aproveitado pelos detentores do poder.

V. FEMINISMO; GUETICIZAÇÃO DAS MINORIAS.

> Você percebe o quanto o termo "minoria" está impregnado ideologicamente? Quando, no contexto dos Estados Unidos, se emprega "minoria" para se referir à maioria do povo que não faz parte da classe dominante, está-se alterando seu valor semântico. Quando se menciona "minoria", está-se falando, na verdade, da "maioria" que se encontra fora da esfera de dominação política e econômica. Na realidade, como se dá com muitas outras palavras, a alteração semântica da palavra "minoria" serve para dissimular os muitos mitos que são parte do mecanismo de sustentação da dominação cultural (ALMLP: 73).

MORTE DA HISTÓRIA: Representa a assunção do "não ser", da estagnação, sendo entendida como morte da utopia e do sonho, decreta o imobilismo e a negação do ser humano. O resgate é mediatizado pela escuta do outro, na comunicação dialógica, numa práxis humanizante, considerando a formação integral do educando.

> [...] a morte da utopia e do sonho, reforça, indiscutivelmente, os mecanismos de asfixia da liberdade [...] (PA: 130).

> Desproblematizando o tempo, a chamada morte da História decreta o imobilismo que nega o ser humano (PA: 130).

MUDANÇA: Trata-se de uma escolha – e não de um processo natural – que surge como necessidade humana, de transformação e de atuação social consciente, crítica, sem aceitação de situações imorais; ao mesmo tempo é organizada, diferenciando-se da pura rebeldia.

➤ Uma das questões centrais com que temos de lidar é a promoção de posturas rebeldes em posturas revolucionárias que nos engajam no processo radical de transformação do mundo. A rebeldia é ponto de partida indispensável, é deflagração da justa ira, mas não é suficiente. A rebeldia enquanto denúncia precisa se alongar até uma posição mais radical e crítica, a revolucionária, fundamentalmente anunciadora. A mudança do mundo implica a dialetização entre a denúncia da situação desumanizante e o anúncio de sua superação, no fundo, o nosso sonho. É a partir deste saber fundamental: mudar é difícil, mas é possível, que vamos programar nossa ação político-pedagógica, não importa se o projeto com o qual nos comprometemos é de alfabetização de adultos ou de crianças, se de ação sanitária, se de evangelização, se de formação de mão de obra técnica (PA: 88).

A mudança não é trabalho exclusivo de alguns homens, mas dos homens que a escolhem [...] (EM: 52).

MULTICULTURALIDADE: Não é a justaposição de culturas ou o domínio de uma sobre as outras, mas a convivência de cada cultura num mesmo espaço de culturas diferentes, respeitando-se mutuamente. Podem estar em tensão por se acharem construindo, criando e jamais estarem prontas e acabadas, inacabamento assumido como razão de ser da própria procura e de conflitos antagônicos. A multiculturalidade demanda certa prática educativa coerente com esses objetivos e demanda uma nova ética fundada no respeito às diferenças.

➤ A multiculturalidade é outro problema sério que não escapa igualmente a essa espécie de análise (PE: 156).

MUNDO: É o mundo – palco de todas as realizações – onde o homem vive, sonha e realiza seus projetos. Nele, o homem efetua sua saga, deixa a sua marca, faz história, constrói a civilização. Muito embora se- ja efêmera a sua passagem, é, no entanto, ao homem que o mundo se abre, como um tesouro a ser descoberto e desvendado, conhecido e reconhecido. O homem e o mundo têm naturezas diferentes: o primeiro no papel de sujeito; e o segundo, no de objeto. A ação do homem sobre o mundo deve ser crítica e cognoscente, buscando auferir deste o conhecimento de que necessita para relacionar-se melhor com ele e dele servir-se para realizar-se como pessoa livre. Não se deve perder em cogitações meramente intelectuais e distantes de suas necessidades, mas aprofundar-se na sua compreensão como extensão e meio para a sua própria existência. É no mundo que o sujeito se humaniza juntamente com os outros, participando inteiramente de sua admiração e reconstrução, pois o mundo é um objeto a ser desvendado, pensado, pesquisado. Os resultados disso incidem numa melhor compreensão, tanto para descrevê-lo, como para usufruir dele.

V. HOMEM NO MUNDO.

➤ Para o homem, o mundo é uma realidade objetiva, independente dele, possível de ser conhecida (EPL: 47).

O mundo social e humano não existiria como tal se não fosse um mundo de comunicabilidade fora do qual é impossível dar-se o conhecimento humano. A intersubjetividade ou a intercomunicação é a característica deste mundo cultural e histórico (EPL: 47).

MUTISMO: É característica da mentalidade brasileira, consequência do colonialismo no país instaurado; é a resposta sem teor crítico.

> ➤ Às sociedades a que se nega o diálogo – comunicação – e, em seu lugar, se lhes oferecem "comunicados", resultantes da compulsão ou "doação", se fazem preponderantemente "mudas". O mutismo não é propriamente inexistência de resposta. É resposta a que falta teor marcadamente crítico (EPL: 77).

N

NEUTRALIDADE: Representa a não atuação, a omissão do educador, a conivência com o *status quo*, o seu não posicionamento diante das injustiças e desigualdades.

> ➤ O que devo pretender não é a neutralidade da educação mas o respeito, a toda prova, aos educandos, aos educadores e às educadoras. [...] (PA: 125).

> [...] coisa impossível, acinzentada e insossa [...]. Que é mesmo a minha neutralidade se não a maneira cômoda, talvez, mas hipócrita, de esconder minha opção ou meu medo de acusar a injustiça? "Lavar as mãos" em face da opressão é reforçar o poder do opressor, é optar por ele. Como posso ser neutro diante da situação, não importa qual seja ela, em que o corpo das mulheres e dos homens vira puro objeto de espoliação e de descaso?

> O que se coloca à educadora ou ao educador democrático, consciente da impossibilidade da neutralidade da educação, é forjar em si um saber espe-

cial, que jamais deve abandonar, saber que motiva e sustenta sua luta: se a educação não pode tudo, alguma coisa fundamental a educação pode. [...] (PA: 126).

NITIDEZ POLÍTICA: Supõe o entendimento da política e das suas formas de manifestação no seio da sociedade. Ao educador cabe a tarefa de tornar clara ao educando a imagem real das ações e das necessidades políticas. Infelizmente, a opressão das classes dominantes geralmente turva essa imagem, tornando-a vaga e inatingível para grande parte dos educandos, desviando-os das ações necessárias, que transformariam as políticas sociais em ações mais eficazes e próximas das demandas da grande maioria da sociedade.

➤ [...] Vou procurar explicar o que algumas vezes tenho chamado de "nitidez política antes de uma ação", algo necessário ao processo de evolução da práxis política. Nossa primeira preocupação diz respeito ao advérbio, antes refere-se a uma determinada ação, digamos a ação A, a ser realizada como tarefa política no processo de luta e de transformação. Esse antes não se refere a nenhuma forma de ação para alcançar a nitidez na "leitura" da realidade. Sua compreensão exige que prolonguemos nossa experiência crítica e radical no mundo. Compreender a sensibilidade do mundo não ocorre exteriormente a nossa prática, isto é, a prática vivida ou a prática sobre a qual refletimos. Em última análise, o que tenho chamado de "nitidez ou clareza política" não se encontra na repetição meramente mecânica, por exemplo, de críticas formais ao imperialismo de Marx. Esse tipo de postura intelectual não tem nada a ver com minha ideia de nitidez política. A nitidez política é necessária para o engajamento mais profundo na práxis política e é realçada nessa prática. [...] A ni-

tidez política é possível na medida em que se re-
flita criticamente sobre os fatos do dia a dia e na
medida em que se transcenda à própria sensibilidade (a capacidade de senti-los, ou de tomar conhecimento deles) de modo que, progressivamen-
te, se consiga chegar a uma compreensão mais rigorosa dos fatos. Mesmo antes disso, ainda no
nível da sensibilidade, é possível começar a tornar-se nítido politicamente (ALMLP: 78-79).

NOVO SABER: Torna-se velho um saber quando
não responde mais às inquietações de quem questiona e é superado por um novo saber, capaz de
preencher lacunas deixadas por aquele. Convém,
contudo, lembrar que, no velho, está sempre latente o novo, numa perfeita simbiose gnosiológica.

➤ O homem, como um ser histórico, inserido num
permanente movimento de procura, faz e refaz
constantemente o seu saber. E é por isto que todo
saber novo se gera num saber que passou a ser
velho, o qual, anteriormente, gerando-se num
outro saber que também se tornara velho, se havia instalado como saber novo.

Há, portanto, uma sucessão constante de saber,
de tal forma que todo novo saber, ao instalar-se,
aponta para o que virá substituí-lo (EC: 47).

O

OPÇÃO LIBERTADORA: Significa o quebrar das
regras e impossibilita a assimilação mecanicamen-
te realizada, sem discussão ou reflexão.

➤ Nem aos camponeses, nem a ninguém, se persuade ou se submete à força mítica da propaganda, quando se tem uma opção libertadora. Neste caso, aos homens se lhes problematiza sua situação concreta, objetiva, real, para que, captando-a criticamente, atuem também criticamente sobre ela (EC: 24).

OPRESSOR: É aquele que oprime, explora e violenta os oprimidos, que possui o poder e manipula o sistema para submeter àqueles que, por falta de educação e de oportunidades, aceitam seu estado de desumanização.

➤ [...] Por isso é que o poder dos opressores, quando se pretende amenizar ante a debilidade dos oprimidos, não apenas quase sempre se expressa em falsa generosidade, como jamais a ultrapassa. Os opressores falsamente generosos têm necessidade, para que a sua "generosidade" continue tendo oportunidade de realizar-se, da permanência da injustiça. A "ordem" social injusta é a fonte geradora, permanente, desta "generosidade" que se nutre da morte, do desalento e da miséria (PO: 31).

É interessante você observar como o opressor educa ao contrário o oprimido. Aliás, essa é a tese de uma amiga minha, de cuja banca de defesa de tese participei, onde ela estudou basicamente a Inconfidência Mineira, e mostrou como o poder colonial terminou provocando o desenvolvimento de uma pedagogia da libertação na sua relação política com os colonizadores (AH: 65).

OPRIMIDO: É todo homem que não tem a consciência de suas possibilidades e que vive adaptado, imerso na engrenagem da estrutura dominante. Também é aquele que "hospeda" o opressor dentro de si, assumindo uma atitude fatalista de aceitação de "sua sina".

V. SER ALIENADO; SER IMERSO NO MUNDO.

➤ O grande problema está em como poderão os oprimidos, que "hospedam!" o opressor em si, participar da elaboração como seres duplos, inautênticos, da pedagogia libertadora. Somente na medida em que se descubram "hospedeiros"' do opressor poderão contribuir para o partejamento de sua pedagogia libertadora. Enquanto vivam a dualidade na qual ser é parecer e parecer é parecer com o opressor, é impossível fazê-lo [...] (PO: 32).

Os oprimidos só começam a desenvolver-se quando, superando a contradição em que se acham, se fazem "seres para si" (PO: 159).

P

PALAVRA: Constitui-se na concretização natural da expressão; é o protesto verbal que encerra o significado de um contexto em um determinado momento, que o explica e o identifica.

➤ A palavra é o direito de tornar-se partícipe da decisão de transformar o mundo (ALMLP: 36).

PALAVRA GERADORA: Propicia a criação de novas palavras por meio de combinações silábicas, aplicada no método Paulo Freire de alfabetização de adultos. A palavra geradora advém do contexto dos estudantes. Constitui-se como a unidade básica na organização do programa de atividades e na futura orientação dos debates nos "círculos de cultura". As palavras escolhidas variam conforme o lugar, sendo recolhidas do meio e posteriormente selecionadas, em número aproximado de dezessete. Dentre elas, as mais frequentes: eleição, voto, povo, governo, tijolo, enxada, panela, cozinha. Cada uma dessas palavras é dividida em sílabas e reunidas em composições diferentes, formando novas palavras. Esta dinâmica caracteriza a modalidade da "ação cultural".

V. TEMAS GERADORES.

> ➤ Palavras geradoras são aquelas que, decompostas em seus elementos silábicos, propiciam pela combinação desses elementos a criação de novas palavras (EPL: 120 – nota de rodapé).

PARTIR DO SABER: Partir do saber não significa ficar preso à experiência do educando, mas sim partir desta para que novas visões sejam analisadas. A eficiência no processo educativo depende da capacidade do educador em conseguir entender a leitura do mundo feita pelo educando e, a partir dessa leitura, ampliar o seu conhecimento, levando o educando a ter uma visão mais crítica.

> ➤ Partir significa pôr-se a caminho, ir-se, deslocar-se de um ponto a outro e não ficar, permanecer. Jamais disse, como às vezes sugerem ou dizem que eu disse, que deveríamos girar embevecidos em torno do saber dos educandos, como a mariposa em volta da luz. Partir do "saber de experiência feito" para superá-lo não é ficar nele (PE: 70-71).

PAULO FREIRE POR ELE MESMO: Resumiu Freire sua vida, assim como a de muitos educadores, quando reconheceu-se como ser inacabado aquele que sabe, reconhece, entende e tira o melhor de toda circunstância para seu crescimento e de todos aqueles que compartilham de sua presença e vida. Mesmo após a extinção desta, o ser continua incompleto, mas transformando-se constantemente.

> ➤ Sinto-me interiormente incompleto, nos níveis biológico, afetivo, crítico e intelectual, e essa incompletitude me impele, de maneira constante, curiosa e amorosa na direção das outras pessoas e do mundo, em busca de solidariedade e de transcendência da solidão. Tudo isso implica querer amar, uma capacidade para amar que as pessoas têm que criar dentro de si mesmas. Essa capacidade aumenta na medida em que se ama; diminui, quando se tem medo de amar. Claro que em nossa sociedade não é fácil amar, porque tiramos da tristeza muito de nossa felicidade; isto é, muito frequentemente, para nos sentirmos felizes, é preciso que outros estejam tristes. É difícil amar em tais circunstâncias, mas é necessário fazê-lo (ALMLP: 137).

PEDAGOGIA CRÍTICA: É, na pedagogia crítica, o desafio a ser alcançado o de aceitar que o subjetivismo está mais presente e interage de forma intensa e equilibrada com o mundo objetivo. Trabalhar esse evento, levando os alunos a aproveitarem ao máximo sua capacidade pessoal para lidar com o realismo do cotidiano, parece ser uma maneira de prepará-lo para aceitar o que não pode ser mudado e para mudar o que o deve ser.

V. EDUCAÇÃO LIBERTADORA; EDUCAÇÃO PROBLEMATIZADORA.

> ➤ O papel mais importante da pedagogia crítica é levar os alunos a reconhecer as diversas ten-

sões e habilitá-los a lidar com elas eficientemente (ALMLP: 31).

PEDAGOGIA CRÍTICA E RADICAL: Parte da inquietação com a certeza de que as certezas não mais existem. Desse modo, quanto mais a pedagogia entende que o óbvio não mais é tão óbvio, que os instrumentos não são mais tão definitivos e que os conhecimentos evoluem constantemente, mais ela fica rigorosa na busca de novas formas de conhecer. V. EDUCAÇÃO LIBERTADORA; EDUCAÇÃO PROBLEMATIZADORA; PEDAGOGIA CRÍTICA.

> ➤ Uma pedagogia será tanto mais crítica e radical, quanto mais ela for investigativa e menos certa de "certezas". Quanto mais "inquieta" for uma pedagogia, mais crítica ela se tornará (ALMLP: 35).

PEDAGOGIA DO DESEJO: Permite que se vá além do assistencialismo (que faz o outro ser devedor) e do fatalismo (que justifica como naturais os descompassos sociais), ambos mantenedores dos mecanismos de opressão e desigualdades. Despertando a consciência crítica, habilita os indivíduos a se verem como seres históricos, portanto, com possibilidade de transformação individual e coletiva. É uma ação libertadora, já que desnuda, pela análise crítica, os mecanismos de opressão e permite aos indivíduos construir possibilidades, fazer escolhas autônomas e assumir atos de cidadania. A educação bancária apresenta técnicas e procedimentos variados como transplantáveis para qualquer sala de aula ou situação educativa, coisificando os indivíduos como resultado de uma linha de produção. A pedagogia do desejo, ao contrário, apresenta um procedimento complexo: o diálogo como prática pedagógica. Subjetivados na relação, educador e educando descobrem e analisam seus desejos e podem, criticamente, fazer escolhas e serem no mundo.

V. ASSISTENCIALISMO; EDUCAÇÃO LIBERTADORA; EDUCAÇÃO PROBLEMATIZADORA; PEDAGOGIA CRÍTICA.

➤ Em cada situação, para desenvolver alternativas de trabalho, teríamos de ir até as pessoas para discutir juntos o que precisa ser feito em seu contexto. No entanto, em todos os contextos, nas ações e em maneiras de falar, interesso-me por encontrar formas de criar um contexto em que as pessoas que vivem nas ruas possam reconstruir seus anseios e seus desejos — desejo de recomeçar, ou de começar a ser de maneiras diferentes. Interesso-me pela criação de uma pedagogia do desejo (PSP: 37).

[...] uma de nossas maiores tarefas parece dizer respeito a como gerar nas pessoas sonhos políticos, anseios políticos, desejos políticos. A mim, como educador, é impossível construir os anseios do outro ou da outra. Essa tarefa cabe a ele ou a ela, não a mim. De que modo podemos encontrar alternativas de trabalho que propiciem um contexto favorável para que isso ocorra?

Ao buscar desenvolver uma pedagogia do desejo, estou interessado em explorar possibilidades que tornem claro que estar nas ruas não é um evento "natural", mas sim um evento social, histórico, político, econômico. Estou interessado em explorar os motivos de se estar nas ruas. Esse tipo de investigação nos levará a algumas descobertas. Pode-se descobrir que as pessoas não moram nas ruas porque querem. Ou ainda, elas podem perceber que realmente querem ficar nas ruas, mas então passam a engajar-se em outros questionamentos, procurando descobrir por que querem as coisas assim, buscando as origens de tal desejo.

Nesse tipo de busca, de procura por razões, preparamo-nos, e aos outros, para superar uma compreensão fatalista de nossas situações, de nossos contextos. [...] descobrir o papel da consciência na história [...] podemos, dessa forma, lidar, coletiva e conscientemente (PSP: 37-38).

PEDAGOGIA DO OPRIMIDO: Definida como a pedagogia da não acomodação, é o caminho pedagógico que tem por princípio o indivíduo, seja este uma pessoa ou uma coletividade. Trata-se de uma pedagogia que tem por fim a recuperação do indivíduo como um ser humano consciente de si, de sua capacidade e de sua força transformadora da realidade. Ao partir do indivíduo, esta pedagogia traz para o foro de discussão as problemáticas por ele vividas em seu cotidiano, resultando em efetivo envolvimento deste indivíduo com os temas trazidos à discussão o que, gradativamente, o levará a refletir sobre o seu mundo, sobre o contexto da comunidade em que se insere e, finalmente, ao contexto universal. Evidentemente, esta sistemática irá conduzir a reflexões tanto sobre a própria opressão sofrida por este indivíduo, quanto sobre suas causas. Refletir acerca disto resulta no engajamento dos indivíduos na luta cotidiana por sua libertação.

V. EDUCAÇÃO LIBERTADORA; EDUCAÇÃO PROBLEMATIZADORA.

➤ A nossa preocupação, neste trabalho, é apenas apresentar do que nos parece constituir o que vimos chamando de Pedagogia do oprimido: aquela que tem de ser forjada com ele e não para ele, enquanto homens ou povos, na luta incessante de recuperação de sua humanidade. Pedagogia que faça da opressão e de suas causas objeto da reflexão dos oprimidos, de que resultará o seu engajamento necessário na luta por sua libertação, em que esta pedagogia se fará e refará (PO: 32).

PENSAMENTO MÁGICO: Entendido como "não científico", o pensamento mágico não é algo solto e sem coesão; mas sim um pensar organizado e estruturado por "lógica interna". É a forma de conhecimento mais imediata e ingênua.

V. CONSCIÊNCIA TRANSITIVA.

➤ O pensamento mágico não é ilógico nem é pré-lógico. Tem sua estrutura lógica interna e reage, até onde pode, ao ser substituído mecanicisticamente por outro. Este modo de pensar, como qualquer outro, está indiscutivelmente ligado a uma linguagem e a uma estrutura como a uma forma de atuar. Sobrepor a ele outra forma de pensar, que implica outra linguagem, outra estrutura e outra maneira de atuar lhe desperta uma reação natural. Uma reação de defesa ante o "invasor" que ameaça romper seu equilíbrio interno [...]. A captação dos nexos que prendem um fato a outro, não podendo dar-se de forma verdadeira, embora objetiva, provoca uma compreensão também não verdadeira dos fatos, que, por sua vez, está associada à ação mágica (EC: 31-32).

PENSAR: É a busca do conhecimento do objeto pensado, recorrendo aos símbolos linguísticos num processo de interação comunicativa. Assim, há um sujeito pensante, há um objeto pensado e um meio sobre o qual se pensa.

➤ Todo ato de pensar exige um sujeito que pensa, um objeto pensado, que mediatiza o primeiro sujeito do segundo, e a comunicação entre ambos, que se dá através de signos linguísticos (EC: 66).

PENSAR CERTO: Implica o respeito à capacidade criadora do educando, a segurança e a não superficialidade na argumentação e na interpretação dos fatos; a disponibilidade ao risco, a aceitação do novo, a rejeição à discriminação. Parte da natureza da prática docente, o pensar certo é desafio dialógico à criatividade do aluno, instigando-lhe a curiosidade que busca o conhecimento. Pensar certo é agir eticamente certo num ato comunicante, coparticipativo, desafiante, interagindo na dialogicidade para a mudança.

➤ [...] faz parte de sua tarefa docente não apenas ensinar os conteúdos mas também ensinar a pensar certo (PA: 29).

O clima de quem pensa certo é o de quem busca seriamente segurança na argumentação [...] (PA: 38).

É próprio do pensar certo a disponibilidade ao risco, a aceitação do novo que não pode ser negado ou acolhido só porque é novo [...] (PA: 39).

PERCEPÇÃO PARCIALIZADA: É o equívoco de não apreender a realidade de modo integral. Ação artificial, não condizente com a realidade, que permite a permanência da visão ingênua de homem e de mundo.
V. CONSCIÊNCIA TRANSITIVA.

➤ [...] rouba ao homem a possibilidade de uma ação autêntica sobre ela. [...] é [...] um dos equívocos de algumas tentativas no setor da organização e do desenvolvimento das comunidades, como também da chamada "capacitação de líderes". O equívoco de não ver a realidade como totalidade. Equívoco, que se repete, por exemplo, quando se tenta a capacitação dos camponeses com uma visão ingênua do problema da técnica. Isto é, quando não se percebe que a técnica não aparece por causalidade; que a técnica bem acabada ou "elaborada", tanto quanto a ciência de que é uma aplicação prática, se encontra [...] condicionada histórico-socialmente. Não há técnica neutra, assexuada (EC: 34).

PERSUADIR: Significa criar um regime de força e de tensão onde uma parte sofre a ação devastadora da outra. Não há diálogo, só imposições onde um abre mão do direito de pensar por si mesmo e escolher e o outro avilta o dever de dialogar. No jogo persuasivo, reforça-se o regime dos contrários.

➤ Persuadir implica, no fundo, um sujeito que persuade, desta ou daquela forma, e num objeto sobre o qual incide a ação de persuadir [...].

Nem aos camponeses, nem a ninguém, se persuade ou se submete à força mítica da propaganda, quando se tem uma opção libertadora. Neste caso, aos homens se lhes problematiza sua situação concreta, objetiva, real, para que, captando-a criticamente, atuem também criticamente, sobre ela (EC: 24).

PLURALIDADE: Caracteriza a variedade de possibilidades em relação a determinado fato. A pluralidade de respostas, que homens e mulheres apresentam diante dos desafios do seu contexto social-histórico, esboça seu potencial criador; observando, interpretando, escolhendo, decidindo, organizando seu espaço e estabelecendo relações com o outro.

➤ A sua pluralidade não é só em face dos diferentes desafios que partem do seu contexto (EPL: 48).

Há uma pluralidade nas relações do homem com o mundo, na medida em que responde à ampla variedade dos seus desafios. Em que não se esgota num tipo padronizado de resposta. A sua pluralidade não é só em face dos diferentes desafios que partem do seu contexto, mas em face de um mesmo desafio. No jogo constante de suas respostas, altera-se no próprio ato de responder. Organiza-se. Escolhe a melhor resposta. Testa-se. Age. Faz tudo isso com a certeza de quem usa uma ferramenta, com a consciência de quem está diante de algo que o desafia. Nas relações que o homem estabelece com o mundo há, por isso mesmo, uma pluralidade na própria singularidade (EPL: 47-48).

POLITICIDADE DA EDUCAÇÃO: É o mesmo que educação como prática da liberdade: uma ação dinâmica conciliadora e dialógica, quando o fazer e o pensar são atos essencialmente políticos. A politicidade da educação é uma relação permanente da reflexão sobre o que devo fazer, para que devo fazer, quando fazer e para quem se destina o que se faz.

V. NEUTRALIDADE.

➤ [...] a educação como prática da liberdade [...] o que hoje chamo de politicidade da educação. Mas o caráter político da educação já surge muito claramente na Pedagogia do oprimido, um livro pós-golpe. Além disso, a percepção que eu tinha da política nordestina era profundamente amarga para mim, de uma politiquice tremenda, de coronéis etc. (AH: 15).

PRÁTICA EDUCATIVA: Envolve a capacidade do educador de somar conhecimento, afetividade, criticidade, respeito, ação e, em conjunto com seu educando, concorrer para a transformação do mundo.

V. EDUCADOR DEMOCRÁTICO; EDUCADOR PROGRESSISTA.

> ➤ A prática docente, especificamente humana, é profundamente formadora, por isso ética (PA: 72-73).
>
> [...] é tudo isso: afetividade, alegria, capacidade científica, domínio técnico a serviço da mudança ou, lamentavelmente, da permanência do hoje (PA: 164).
>
> [...] implica ainda processos, técnicas, fins, expectativas, desejos, frustrações, a tensão permanente entre prática e teoria, entre liberdade e autoridade, cuja exacerbação, não importa de qual delas, não pode ser aceita numa perspectiva democrática, avessa tanto ao autoritarismo quanto à licenciosidade (PE: 109).

PRÁXIS: É termo grego que significa ação. Na terminologia marxista, designa o conjunto de relações de produção e trabalho, que constituem a estrutura social e a ação transformadora que a revolução deve exercer sobre tais relações. Significa, ainda, que não há revolução com verbalismo, nem tampouco com ativismo, mas sim com a práxis – ou seja, com reflexão e ação incidindo sobre as estruturas a serem transformadas. Sem ela, é impossível a separação da contradição opressor/oprimido.

A práxis é a reflexão do oprimido sobre seu mundo e a reação transformadora deste contra a realidade encontrada. Para que haja práxis, é essencial, que o indivíduo seja levado a tomar consciência de sua realidade para que, então, possa refletir sobre ela e, finalmente, questioná-la. A partir da reflexão, o oprimido será capaz de identificar a presença de um opressor e tomará, consequentemente, consciência de sua condição. Somente depois disto será possível despertar no oprimido sua capacidade de reação para transformação e, por último, incentivar que esta ação transformadora se concretize.

V. OPRESSOR; OPRIMIDO.

> É exatamente esta capacidade de atuar, operar, de transformar a realidade de acordo com finalidades propostas pelo homem, à qual está associada sua capacidade de refletir, que o faz um ser da práxis.

Se ação e reflexão, como constituintes inseparáveis da práxis, são a maneira humana de existir, isto não significa, contudo, que não estão condicionadas, como se fossem absolutas, pela realidade em que está o homem (EM: 17).

Práxis na qual a ação e a reflexão, solidárias, se iluminam constante e mutuamente. Na qual a prática, implicando a teoria da qual não se separa, implica uma postura de quem busca o saber, e não de quem passivamente o recebe (EC: 80).

A práxis, porém, é a reflexão e ação dos homens sobre o mundo para transformá-lo. Sem ela, é impossível a superação da contradição opressor-oprimidos (PO: 38).

Mas, se os homens são seres do quefazer é exatamente porque seu fazer é ação e reflexão. É práxis [...] (PO: 121).

PRÁXIS REVOLUCIONÁRIA: É antagônica à práxis das elites sociais. Na primeira, há uma práxis verdadeira, um agir em equipe, caracterizando o processo de busca contínua da transformação; na segunda, os oprimidos têm a falsa impressão de que são atuantes, fazedores de história, mas na verdade são manipulados e divididos pela força da opressão.

➤ Não pode haver divisão entre a práxis da liderança e a das massas oprimidas. Na práxis revolucionária há uma unidade, na qual a liderança não pode ter nas massas oprimidas o objeto de sua posse.

O seu quefazer-ação-reflexão, não pode dar-se sem a ação e a reflexão dos outros, se seu compromisso é o da libertação (PO: 122).

Na práxis revolucionária há uma unidade, em que a liderança – sem que isto signifique diminuição de sua responsabilidade coordenadora e, em certos momentos, diretora – não pode ter nas massas oprimidas o objeto de sua posse.

Daí que não sejam possíveis a manipulação, a sloganização, o "depósito", a condução, a prescrição, como constituintes da práxis revolucionária. Precisamente porque o são da dominadora (PO: 123).

PRESCRIÇÃO: Trata-se do ato de determinar ao oprimido uma dada consciência da realidade. O opressor exige, prescreve, predetermina como o oprimido deve entender o mundo e, ainda, como se deve reagir a este, sem se permitir a necessária reflexão sobre fatos e realidades, mas sim, exigindo-se que seja aceito um único modo de ver e reagir, automaticamente. É este ato de simplesmente aceitar determinadas prescrições que enseja o termo "consciência hospedeira", ou seja, do oprimido somente se exige aceitar as predeterminações do opressor, sem questioná-las. O último efeito disto é o oprimido passar a agir, pensar e reagir como faria ou como queria o próprio opressor.

➤ Um dos elementos básicos na mediação opressores-oprimidos é a prescrição. [...] é a inspiração da opção de uma consciência a outra, [... transforma] a consciência recebedora [...em] consciência "hospedeira" da consciência opressora (PO: 34).

PROBLEMATIZAÇÃO: Consiste em detectar-se uma realidade determinada e tomar consciência crítica desta, ou seja, avaliar todos os aspectos de sua existência, especialmente sua razão de ser, além de questioná-los um a um.

Em relação ao ensino, é o método freireano voltado para a reflexão tanto acerca do que se diz, quanto do que se faz, pessoal ou coletivamente, de modo a reavaliar e reapresentar a realidade na forma de problema. É pensar um conteúdo para melhor apreciá-lo, julgá-lo e fazê-lo exequível, conforme as exigências de uma determinada situação.

O antídoto contra a manipulação está na organização criticamente consciente, cujo ponto de partida não está em depositar nelas o conteúdo revolucionário, mas na problematização de sua posição no processo da realidade nacional e da própria manipulação a que todos estão sujeitos.

➤ A tarefa do educador, então, é a de problematizar aos educandos o conteúdo que os mediatiza, e não a de dissertar sobre ele, de dá-lo, de estendê-lo, de entregá-lo, como se se tratasse de algo já feito, elaborado, acabado, terminado (EC: 81).

No fundo, em seu processo, a problematização é a reflexão que alguém exerce sobre um conteúdo, fruto de um ato, ou sobre o próprio ato, para agir melhor, com os demais, na realidade (EC: 82-83).

O que importa fundamentalmente à educação, contudo, como uma autêntica situação gnosiológica, é a problematização do mundo do trabalho, das obras, dos produtos, das ideias, das convicções, das aspirações, dos mitos, da arte, da ciência, enfim, o mundo da cultura e da história, que, resultando das relações homem-mundo, condiciona os próprios homens, seus criadores (EC: 83).

Daí que, ao contrário do que ocorre com a conquista, na teoria antidiálogica da ação, que mitifica a realidade para manter a dominação, na co-laboração, exigida pela teoria dialógica da ação, os sujeitos dialógicos se voltam sobre a realidade mediatizadora que, problematizada, os desafia. A resposta aos desafios da realidade problematizada é já a ação dos sujeitos dialógicos sobre ela, para transformá-la (PO: 167).

PROFESSOR AUTORITÁRIO: Opõe-se ao professor democrático ou progressista. Seu perfil pedagógico prioriza a simples transferência do conhecimento, desrespeitando o senso crítico e a curiosidade dos alunos. O discurso "bancário", monológico, minimizador e limitador, que destrói qualquer possibilidade de interação docente-discente em sala de aula, caracteriza o professor autoritário.

➤ O professor que desrespeita a curiosidade do educando, o seu gosto estético, a sua inquietude, a sua linguagem, mais precisamente, a sua sintaxe e a sua prosódia; o professor que ironiza o aluno, que o minimiza, que manda que "ele se ponha em seu lugar" ao mais tênue sinal de sua rebeldia legítima, tanto quanto o professor que se exime do cumprimento de seu dever de propor limites à liberdade do aluno, que se furta ao dever de ensinar, de estar respeitosamente presente à experiência formadora do educando, transgride os princípios fundamentalmente éticos de nossa existência (PA: 66)

Q

QUEFAZER: É conceito que representa a teoria e a prática. É reflexão e ação, e não pode reduzir-se nem ao verbalismo, nem ao ativismo, tampouco distingue momentos na ação do educador/educando. Significa ser único na prática cotidiana, assumir toda e qualquer ação como uma forma de capacitar o compromisso social.

> ➤ Seu compromisso como profissional [...] pode dicotomizar-se de seu compromisso original de homem. O compromisso, como um quefazer radical e totalizado, repele as racionalizações [...]. Uma vez que "profissional" é atributivo de homem, não posso, quando exerço um quefazer atributivo, negar o sentido profundo do quefazer substantivo e original (EM: 20).
>
> Falar, pois, do papel do trabalhador social implica análise da mudança e da estabilidade como expressões da forma de ser da estrutura social. Estrutura social que se lhe oferece como campo de seu quefazer (EM: 47).

R

RACISMO: É preconceito humilhante, que desconsidera o outro na sua essência, reduzindo seu *status* de ser humano, subjugando-o, rejeitando-o, discriminando-o, interditando-o de efetivamente ser. O racismo é apenas um dos mecanismos opressores e a consciência disso apontará para a conclusão de que há uma ideologia capitalista dominadora e geradora dos diversos quadros sociais opressores.

> ➤ O racismo é uma ou vem sendo uma das melhores "trampas" de que se serve o capitalismo para encobrir o seu caráter de classe. Não é fácil, na verdade, para os grupos negros perceberem a diferença entre cor da pele e "cor da ideologia". Triste ironia: a discriminação terrível, incrível, que os negros sofrem [...] termina por "trabalhar" em favor do sistema em que ela se nutre (PSP: 287).

RADICALIZAÇÃO: Considera o homem com posicionamento crítico e comunicativo. Equivale à posição que luta por debater o *status quo* social, de forma crítica, amorosa e dialógica; é contrária a um ativismo irrefletido.

> ➤ A radicalização, que implica o enraizamento que o homem faz na opção que fez, é positiva, porque preponderantemente crítica. Porque crítica e amorosa, humilde e comunicativa. O homem radical, na sua opção, não nega o direito ao outro de optar. Não pretende impor a sua opção. Dialoga sobre ela. Está convencido de seu acerto, mas respeita no outro o direito de também julgar-se certo. Tenta convencer e converter, e não esmagar o seu oponente. Tem o dever, contudo, por uma questão mesma de amor, de reagir à violência dos que lhe pretendam impor silêncio (EPL: 58).
>
> [...] A radicalização [...] é sempre criadora, pela criatividade que a realimenta [...]. É crítica, por isto libertadora [...] porque implicando o enraizamento que os homens fazem na opção que fizeram, os engaja cada vez mais no esforço de

transformação da realidade concreta, objetiva (PO: 25).

[...] a radicalização é o próprio do revolucionário [...] (PO: 27).

REALIDADE: Abarcam este conceito os conhecimentos dos sujeitos pensantes, somados à sua comunicação por meio de signos comuns e à reflexão do contexto sociocultural em que vivem.

> ➤ [...] a comunicação eficiente exige que os sujeitos interlocutores incidam sua "ad-miração" sobre o mesmo objeto; que o expressem através de signos linguísticos pertencentes ao universo comum a ambos, para que assim compreendam de maneira semelhante o objeto da comunicação.
>
> Nesta comunicação, que se faz por meio de palavras, não pode ser rompida a relação pensamento-linguagem-contexto ou realidade.
>
> Não há pensamento que não esteja referido à realidade, direta ou indiretamente marcado por ela, do que resulta que a linguagem que o exprime não pode estar isenta destas marcas (EC: 70).
>
> [...] o processo de comunicação humana não pode estar isento dos condicionamentos socioculturais (EC: 72).

RECEITAS: Representa um molde para que o homem siga e que não prevê o ânimo criador.

> ➤ [...] posição anterior de autodesvalia, de inferioridade, característica da alienação, que amortece o ânimo criador dessas sociedades e as impulsiona sempre às imitações, começa a ser substituída por uma outra, de autoconfiança. E os esquemas e as "receitas" antes simplesmente importados passam a ser substituídos por projetos, planos, re-

sultantes de estudos sérios e profundos da realidade. E a sociedade passa assim, aos poucos, a se conhecer a si mesma. Renuncia à velha postura de objeto e vai assumindo a de sujeito (EPL: 62).

RE-FAZER: É um fazer novamente com novidades, procurando desvendar novas perspectivas outras do objeto pensado e avançando em busca de uma melhor compreensão da sua realidade e essência.

➤ Re-fazer [...] não significa, contudo, repeti-lo tal qual, mas fazê-lo de novo, numa situação nova, em que novos ângulos, antes não aclarados, se lhe podem apresentar claramente; ou se lhe abrem caminhos novos de acesso ao objeto (EC: 79).

REFLEXÃO CRÍTICA SOBRE A PRÁTICA: É necessidade de coerência na práxis, onde saber e fazer estão intimamente ligados pela própria experiência.

➤ [...] se torna uma exigência da relação Teoria/Prática sem a qual a teoria pode ir virando blá-blá-blá e a prática, ativismo (PA: 24).

RELAÇÃO DIALÓGICA: Estabelece a ponte entre o ensinar e o aprender, porém só ocorre quando o pensamento crítico do educador não anula a capacidade de pensar criticamente do educando. V. DIALOGISMO.

➤ A relação dialógica, porém, não anula, como às vezes se pensa, a possibilidade do ato de ensinar. Pelo contrário, ela funda este ato, que se completa e se sela no outro, o de aprender, e ambos só se tornam verdadeiramente possíveis quando o pensamento crítico, inquieto, do educador ou da educadora não freia a capacidade de criticamente também pensar ou começar a pensar do educando (PE: 118).

RELAÇÃO ENTRE ALFABETIZAÇÃO E EMANCIPAÇÃO: A emancipação pressupõe liberdade, serenidade e habilidade na circulação por um determinado tema, objeto ou contexto. Quando é falado sobre o tom de relacionamento social, é preciso que se entenda o sentido destes três quesitos para o efetivo desempenho da cidadania e de sua interferência na estruturação social de qualquer nação. A alfabetização, quando submete os indivíduos a novas formas de visão e de interação com o meio social, habilita-o a entender o próprio meio. Ao entender o meio e o novo conjunto de instrumental que a alfabetização lhe proporciona, o indivíduo conquista a serenidade em virtude da segurança que o ferramental lhe confere. Amparado pela habilidade, e dotado dos mecanismos que lhe dão segurança, o indivíduo alcança a liberdade de expressão, e consequentemente, a liberdade de atuar mais profundamente no nível social promotor de mudanças. Este indivíduo alcançou, assim, a emancipação social, que somente a alfabetização pode lhe conferir plenamente.

V. ALFABETIZAÇÃO; ALFABETIZAÇÃO CRÍTICA.

➤ O conceito de alfabetização, neste caso, deve ser tomado como transcendendo seu conteúdo etimológico. A alfabetização não pode ser reduzida a experiências apenas um pouco criativas, que tratam dos fundamentos das letras e das palavras como uma esfera puramente mecânica. Ao responder à sua pergunta, tentarei ir além dessa compreensão rígida de alfabetização e começar a entender alfabetização como a relação entre os educandos e o mundo, mediada pela prática transformadora desse mundo, que ocorre exatamente no meio social mais geral em que os educandos transitam, e mediada, também, pelo discurso oral que diz respeito a essa prática transformadora. Esse modo de compreender a alfabetização leva-me à ideia de uma alfabetização abrangente que é necessariamente política. Mesmo nesse sentido global, a alfabetização jamais deve ser compreendida como sendo, por si só, a deflagradora da emancipação social das classes subalternas. A alfabetização conduz a uma série de mecanismos deflagadores, dos quais participa, os quais devem ser ativados para a transformação indispensável de uma sociedade cu- ja realidade injusta destrói a maior parte do povo. Neste sentido global, a alfabetização ocorre em sociedades onde as classes oprimidas assumem a própria história (ALMLP: 56).

RELATIVIZAÇÃO DO SABER: Considera-se o saber relativo, uma vez que as pessoas possuem saberes diferentes. Assim, no ato de educar, há a pessoa que comunica um saber relativo para outras pessoas que possuem outros saberes relativos. O importante é saber com humildade.

➤ Todo saber humano tem em si o testemunho do novo saber que já anuncia. Todo saber traz consigo sua própria superação. Portanto, não há saber nem ignorância absoluta: há somente uma relativização do saber ou da ignorância (EM: 29).

RENUNCIAR AO ATO INVASOR: Significa negar a validade de um mito, de uma "verdade" imposta ao oprimido pela minoria opressora. Esta negativa é consequência de uma reflexão anterior, que fez com que o oprimido questionasse sua veracidade e concluísse (através da ação dialógica) que não se encontrava diante de uma verdade absoluta. Muitas vezes, esta renúncia representa a negação de "verdades" anteriormente adotadas pelo oprimido como indiscutíveis; outras, irá colocar em discussão preconceitos já enraizados em seu ser. De uma forma ou de outra, trata-se de fruto da adoção de um novo modo de ver e de se relacionar com o mundo.

> Sentem a necessidade de renunciar à ação invasora, mas os padrões dominadores estão de tal forma metidos "dentro" deles, que esta renúncia é uma espécie de morrer um pouco.

> Renunciar ao ato invasor significa, de certa maneira, superar a dualidade em que se encontram – dominados por um lado; dominadores, por outro (PO: 154).

RESISTÊNCIA À PRÁTICA BANCÁRIA: Dependendo da maneira como o educando é estimulado, mesmo se o educador exercer uma postura *"depositária"* sobre ele, poderá manter viva em si a *"força criadora do aprender"*, desde que esteja em constante movimento curioso para o novo.

> [...] pode ser superada quando se mantém "viva a rebeldia", aguçada a "curiosidade" e estimulada sua capacidade de "arriscar-se", de "aventurar-se", o que "imuniza" o educando contra o poder apassivador do bancarismo (PA: 28).

RESPEITAR OS DIFERENTES DISCURSOS: Entendendo que não existe um indivíduo igual a outro, tam-

168

bém não é possível que se realize um discurso igual ao outro. O fim da repetição e da decoração de frases, dando espaço a novas ideias e novas formas de comunicação destas ideias, precisa ser tratado e aceito em sala de aula, obrigando educador e educando a entender essa diversidade e a tratá-la com respeito, pois dela surgirá a evolução de cada uma das partes envolvidas e o impulso para o alcance desta evolução.

> ➤ Respeitar os diferentes discursos e pôr em prática a compreensão de pluralidade (a qual exige tanto crítica e criatividade no ato de dizer a palavra quanto no ato de ler a palavra) exige uma transformação política e social (ALMLP: 36).

REVOLUÇÃO CULTURAL: É fruto da organização de uma massa oprimida que conseguiu perceber sua realidade, tomou consciência dela, questionou-a e, finalmente, agiu para transformá-la. A revolução cultural significará a substituição da cultura imposta pela minoria opressora, ou seja, a cultura até então vigente, pela cultura da maioria que se encontrava oprimida. Consiste no último estágio da teoria dialógica.

> ➤ Neste sentido é que a "revolução cultural" é a continuação necessária da ação cultural dialógica que deve ser realizada no processo anterior à chegada ao poder.
>
> A "revolução cultural" toma a sociedade em reconstrução em sua totalidade, nos múltiplos quefazeres dos homens, como campo de sua ação formadora (PO: 156).

Na revolução cultural, finalmente, a revolução, desenvolvendo a prática do diálogo permanente entre liderança e povo, consolida a participação deste no poder.

Desta forma, na medida em que ambos – liderança e povo – se vão criticizando, vai a revolução defendendo-se mais facilmente dos riscos dos burocratismos que implicam novas formas de opressão e de "invasão", que são sempre as mesmas (PO: 158).

S

SABEDORIA: É relativa e dependente do conhecimento que cada indivíduo possui, estando este conhecimento relacionado com o grupo ao qual o indivíduo pertence e com as experiências individuais de cada um.

> ➤ O homem, por ser inacabado, incompleto, não sabe de maneira absoluta [...]. A sabedoria parte da ignorância. Não há ignorantes absolutos [...] (EM: 28).

SABER: Existe somente a busca do saber onde há curiosidade, inquietação e humildade para reconhecer que nenhum saber é completo ou definitivo. Fora dessa busca, o indivíduo se aliena, deixa de ser e de buscar. Na educação bancária, o saber é a transferência do saber por aqueles que o julgam possuir, para aqueles que julgam nada saber. Diz-se transferência ou doação de saber porque não há interatividade ou dialogicidade envolvida neste processo.

➤ [...] o sentido do saber [é] uma busca permanente (EC: 52).

O saber se faz através de uma superação constante. O saber superado já é uma ignorância. Todo saber humano tem em si o testemunho do novo saber que já anuncia [...] (EM: 28).

Na visão bancária da educação, o "saber" é uma doação dos que se julgam sábios aos que julgam nada saber [...] (PO: 58).

SABER DEMOCRÁTICO: Saber do homem incorporado ao meio, que só se adquire experimentalmente.

➤ [...] iríamos ajudando o homem brasileiro, no clima cultural da fase de transição, a aprender democracia, com a própria existência desta.

Na verdade, se há saber que só se incorpora ao homem experimentalmente, existencialmente, este é o saber democrático (EPL: 100).

SABER INGÊNUO: Saber com que o aluno chega à escola, resultante da sua experiência de vida. A educação coerente faz com que o saber ingênuo dê lugar a um saber produzido pela curiosidade epistemológica.

➤ Não é possível respeito aos educandos [...] se não se reconhece a importância dos "conhecimentos de experiência feitos" com que chegam à escola (PA: 71).

Quanto mais me torno rigoroso na minha prática de conhecer tanto mais, porque crítico, respeito devo guardar pelo saber ingênuo a ser superado pelo saber produzido através do exercício da curiosidade epistemológica (PA: 77).

SABERES E PRÁTICA PROGRESSISTA: Refere-se à pesquisa que deve preceder todo trabalho pedagógico e que possibilitará que o mundo dos educandos participe objetivamente dos conteúdos trabalhados, numa co-produção entre educador e educando.

> ➤ [...] devem ser conteúdos obrigatórios à organização programática da formação docente [...]; de compreensão tão clara e tão lúcida quanto possível [...], elaborada na prática formadora [...], assumindo-se o formando "como sujeito também da produção do saber", reconhecendo que ensinar não é transferir conhecimento, mas criar as possibilidades para a sua produção ou a sua construção (PA: 24-25).

SABER-SE NO MUNDO: Significa ter clareza, lucidez e consciência da importância de sua participação e de sua função no mundo em que vive, sabendo avaliar-se de modo a refletir a respeito de sua ação.

> ➤ É preciso que seja capaz de, estando no mundo, saber-se nele [... É a capacidade de] saber intencionar sua consciência para a própria forma de estar sendo, que condiciona sua consciência de estar (EM: 16).

SECTARIZAÇÃO: Relaciona-se à posição que luta por preservar o *status quo* social, e que, ainda que manifeste ativismo, caracteriza-se pela postura antidialógica, acrítica e emocional.

➤ O grande mal, porém, estava em que, despreparado para a captação crítica do desafio, jogado pela força das contradições, o homem brasileiro e até as suas elites vinham descambando para a sectarização e não para as soluções radicais. E a sectarização tem uma matriz preponderantemente emocional e acrítica. É arrogante, antidialogal e por isso anticomunicativa. É reacionária, seja assumida por direitista, que para nós é um sectário de "nascença", ou esquerdista. O sectário nada cria porque não ama. Não respeita a opção dos outros. Pretende a todos impor a sua, que não é opção, mas fanatismo. Daí a inclinação do sectário ao ativismo, que é ação sem vigilância de reflexão (EPL: 59).

[...] a sectarização é sempre castradora pelo fanatismo de que se nutre [...], é mítica, por isto alienante, [...] irracional, transforma a realidade numa falsa realidade que, assim, não pode ser mudada (PO: 25).

[...] a sectarização [...] é o próprio do reacionário [...] (PO: 27).

SER ALIENADO: Define aquele que não vive a sua própria realidade, gravitando numa realidade imaginária, em constante imitação (imitação passiva, não questionadora) e desvalorizando-se constantemente. Não possui um pensar comprometido consigo mesmo.
V. OPRIMIDO; SER IMERSO NO MUNDO.

➤ Quando o ser humano pretende imitar a outrem, já não é ele mesmo [...]. O ser alienado não olha para a realidade com critério pessoal, mas com olhos alheios. Por isso vive uma realidade imaginária e não a sua própria realidade objetiva (EM: 35).

O ser alienado não procura um mundo autêntico [...] Tem vergonha da sua realidade (EM: 35).

SER DE RELAÇÕES: Diferencia o "homem" dos "animais", mencionando a capacidade que o primeiro tem de relacionar-se; de projetar-se nos outros e de transcender, que o animal não tem.

> ➤ O homem está no mundo e com o mundo. Se apenas estivesse no mundo não haveria transcendência nem se objetivaria a si mesmo. Mas como pode objetivar-se, pode também distinguir entre um eu e um não-eu.
>
> Isto o torna um ser capaz de relacionar-se [...] (EM: 30).

SER DIALÓGICO: Define aquele que privilegia o diálogo como única condição para o conhecimento tanto do outro, como de tudo o que o cerca, numa busca interminável do esclarecimento do objeto cognoscente, sempre em parceria. O ser dialógico divide com o outro não somente o privilégio de conhecer, mas também a responsabilidade da procura do saber. V. EDUCADOR DEMOCRÁTICO; EDUCADOR PROGRESSISTA.

> ➤ [...] é vivenciar o diálogo. Ser dialógico é não invadir, é não manipular, é não sloganizar. Ser dialógico é empenhar-se na transformação constante da realidade [...] (EC: 43).

SER IMERSO NO MUNDO: Refere-se àquele que não possui a capacidade de refletir sobre si mesmo, sobre o mundo em que está, sobre o mundo em que vive. É um ser que não se compromete, somente está em contato com o mundo.

> [...] Sua imersão na realidade, da qual não pode sair, nem "distanciar-se" para admirá-la e, assim, transformá-la, faz dele um ser "fora" do tempo ou "sob" o tempo, ou, ainda, num tempo que não é seu. O tempo para tal ser "seria" um perpétuo presente, um eterno hoje (EM: 16).

SER INACABADO: É o homem um ser inacabado, incompleto, em constante busca do seu próprio crescimento. O inacabamento é condição de todo ser vivo, indicando sua limitação numa procura permanente, movido pela curiosidade ingênua e crítica (epistemológica). É por esta condição de inconclusão e incompletude que a temática da educação formadora é essencial.

Paulo Freire compara o "homem" com o "animal", dizendo que o cão e a árvore também são inacabados, mas o homem tem a consciência do seu inacabamento, por isso se educa. Por ser capaz de fazer uma autorreflexão, o homem descobre-se inacabado, mas em constante busca.

V. HOMEM.

> Inacabamento do ser ou a sua inconclusão; é próprio da experiência vital. Onde há vida, há inacabamento (PA: 55).
>
> [...] Comecemos por pensar sobre nós mesmos e tratemos de encontrar, na natureza do homem,

algo que possa construir o núcleo fundamental onde se sustente o processo de educação.

Qual seria este núcleo captável a partir de nossa própria experiência existencial?

Este núcleo seria o inacabamento ou a inconclusão do homem (EM: 27).

[...] A educação é possível para o homem, porque este é inacabado e sabe-se inacabado. Isto leva-o à sua perfeição (EM: 27-28).

SER INADAPTADO: Entende-se que a educação deve estimular o homem a pensar e, consequentemente, a optar. Neste pensar, a inadaptação é importante para a educação, porque o ser inadaptado questiona. Já o ser adaptado é aquele que é acomodado e que não se transforma.

> ➤ [...] A educação deve estimular a opção e afirmar o homem como homem. Adaptar é acomodar, não transformar [...].
>
> Quanto mais o homem é rebelde e indócil, tanto mais é criador, apesar de em nossa sociedade se dizer que o rebelde é um ser inadaptado (EM: 32).

SER MAIS: Viver a busca incessante do aprimoramento individual necessário ao convívio coletivo. O "ser mais" é a prática da valorização do indivíduo como homem. É a procura pela liberdade, que é uma conquista, e não uma doação, exigindo sempre uma busca permanente, que existe no ato responsável de quem a faz. O "ser mais" significa, também, ter consciência de que a criatura humana é um ser inconcluso e consciente da própria inconclusão. Assim, o "ser mais" é uma vocação natural de todos os homens.

➤ [...] Vocação negada na injustiça, na exploração, na opressão, na violência dos opressores. Mas afirmada no anseio de liberdade, de justiça, de luta dos oprimidos, pela recuperação de sua humanidade roubada (PO: 30).

Tenho insistido, ao longo de minha prática educativa, que jamais se ressentiu de uma reflexão filosófica, em que seres finitos, inacabados, homens e mulheres vimos sendo seres vocacionados para ser mais (CC: 192).

Não hesitaria em afirmar que, tendo-se tornado historicamente o ser mais a vocação ontológica de mulheres e homens, será a democrática a forma de luta ou de busca mais adequada à realização humana do ser mais (CC: 192).

Não creio em nenhuma busca, bem como em nenhuma luta em favor da igualdade de direitos, em prol da superação das injustiças que não se funde no respeito profundo à vocação para a humanização, para o ser mais de mulheres e de homens (CC: 193).

SIGNOS LINGUÍSTICOS: São expressões linguísticas constantes da cultura de um sujeito pensante e que, sendo comuns a outro sujeito pensante, possibilitam a comunicação.

V. COMUNICAÇÃO.

➤ Em relação dialógica-comunicativa, os sujeitos interlocutores se expressam, como já vimos, através de um mesmo sistema de signos linguísticos.

É então indispensável ao ato comunicativo, para que este seja eficiente, o acordo entre os sujeitos, reciprocamente comunicantes. Isto é, a expressão verbal de um dos sujeitos tem que ser percebida dentro de um quadro significativo comum ao outro sujeito.

Se não há este acordo em torno dos signos, como expressão do objeto significado, não pode haver compreensão entre os sujeitos, o que impossibilita a comunicação [...] (EC: 67).

SILÊNCIO: É um "retirar-se" para ouvir; permitindo a revelação, o conhecimento, o diálogo.

➤ A importância do silêncio no espaço da comunicação é fundamental. De um lado, me proporciona que, ao escutar, como sujeito e não como objeto, a fala comunicante de alguém, procure entrar no movimento interno do seu pensamento, virando linguagem; de outro, torna possível a quem fala, realmente comprometido com comunicar e não com fazer puros comunicados, escutar a indagação, a dúvida, a criação de quem escutou. Fora disso, fenece a comunicação (PA: 132).

SÍNTESE CULTURAL: É o fenômeno por meio do qual a maioria oprimida deixaria a posição de mera espectadora da imposição cultural, exercida pela minoria opressora, a fim de agir como agente transformador da realidade existente. Trata-se de movimento contra a atual configuração da sociedade e das estruturas que a mantém.

➤ [...] Na síntese cultural, onde não há espectadores, a realidade a ser transformada para a libertação dos homens é a incidência da ação dos atores.

Isto implica que a síntese cultural é a modalidade de ação com que, culturalmente, se fará frente à força da própria cultura, enquanto mantenedora das estruturas em que se forma (PO: 180).

SITUAÇÃO EDUCATIVA: Dá-se quando se rompe o binômio educador-educando, originando "sujeitos cognoscentes", que a partir daí procuram juntos desvendar o objeto que procuravam conhecer. Embora o educador continue com a "vantagem" de conhecer mais e o educando com a "desvantagem" de conhecer menos, ambos críticos, livres e parceiros no conhecimento, caminham juntos, construindo o saber que fará parte da aquisição de ambos.

V. EDUCADOR-EDUCANDO.

> ➤ [...] na situação educativa, educador e educando assumem o papel de sujeitos cognoscentes, mediatizados pelo objeto cognoscível que buscam conhecer [...] (EC: 28).

SITUAÇÕES-LIMITES: São barreiras que o ser humano encontra em sua caminhada, diante das quais pode assumir várias atitudes, como se submeter a elas ou, então, vê-las como obstáculos que devem ser vencidos. Diante dessas barreiras, pode unir a esperança com a prática e agir para que a situação se modifique ou simplesmente se deixar levar pela desesperança. Para enfrentar as situações-limites são necessários os chamados "atos-limites", termo usado por Paulo Freire para designar as atitudes assumidas a fim de se romper com as situações-limites. Estes atos-limites são necessários para que se possa atingir o "inédito-viável", ou seja, algo novo, tantas vezes sonhado e que, através da práxis, pode se tornar realidade.

> [...] nas situações-limites, mais além das quais se acha o "inédito viável" às vezes perceptível, às vezes não, se encontram razões de ser para ambas as posições: a esperançosa e a desesperançosa (PE: 11).

SOCIEDADE ALIENADA: Refere-se à sociedade acomodada, que prefere viver formas e estruturas alheias a sua cultura, sendo apenas objeto e nunca sujeito de transformações.

> [...] a imitação servil de outras culturas produz uma sociedade alienada ou sociedade-objeto [... sem] consciência do seu próprio existir (EM: 35).
>
> A sociedade alienada não se conhece a si mesma; é imatura, tem comportamento exemplarista, trata de conhecer a realidade por diagnósticos estrangeiros (EM: 36).

SULEAR: É a influência exercida pelo Hemisfério Sul. Hoje há predominância dos países do Norte sobre os do Sul, impondo a estes sua política, tanto social como econômica. O que se propõe é que haja igualdade nas relações entre os pólos, numa relação de interdependência saudável entre ambos: que o Sul possa "sulear" o Norte, assim como este o vem "norteando".

> Enquanto centro de poder, o Norte se acostumou a "perfilar" o Sul. O Norte "norteia" o Sul.
>
> Muito mais, contudo, do que buscar – mesmo que fosse fácil – trocar de posição: deixar de ser "norteado" e passar a "sulear", não tenho dúvida de que o caminho não seria este mas o da interdependência, em que um não pode ser se o outro não é. Neste caso, ao "nortear", o Norte se exporia ao "suleamento" do Sul e vice-versa (CC: 232).

T

TAREFA DE UM EDUCADOR: Será o verdadeiro educador aquele que, a partir do mundo que lê, do mundo no qual interage com visão crítica e reflexiva, passe a gerar sementes para sua evolução por meio de suas ações como indivíduo e como agente de transformação social. Deste modo, a tarefa do educador será aproximar-se, criticamente, da sociedade que o cerca, buscando caminhos, não admitindo ideias sem analisar ou ponderar, numa ampla visão que permita distinguir o certo do errado, o verdadeiro do falso, considerando o discernimento e o equilíbrio, deixando de lado aspectos secundários e selecionando o que é realmente pertinente e útil.

> ➤ A tarefa de um educador crítico é aproximar-se do mundo real dessas esferas públicas e organismos sociais, para colaborar com eles. A colaboração mais importante de um educador seria avaliar os elementos teóricos dentro das práticas desses movimentos. O educador crítico deve fazer surgir a teoria implícita nessas práticas, de modo que as pessoas possam apropriar-se das teorias de sua própria prática. O papel do educador não é, pois, chegar ao nível dos movimentos sociais com teorias a priori para explicar as práticas que ali ocorrem, mas sim descobrir os elementos teóricos que brotam da prática (ALMLP: 43).

A tarefa de um educador crítico é aproximar-se do mundo real dessas esferas públicas e organismos sociais, para colaborar com eles (ALMLP: 43).

[...] sua tarefa é a de, problematizando a seus alunos, possibilitar-lhes o ir-se exercitando em pensar criticamente, tirando suas próprias interpretações do porquê dos fatos (EC: 52-53).

TEMAS GERADORES: São os temas relativos às aspirações, ao conhecimento empírico e à visão de mundo dos educandos que, captados e estudados pelo educador, tornam-se base para o conteúdo programático da educação dialógica de um grupo determinado. V. PALAVRA GERADORA.

> ➤ [...] se se considera a dialogicidade da educação, seu caráter gnosiológico, não é possível prescindir de um prévio conhecimento a propósito das aspirações, dos níveis de percepção, da visão do mundo que tenham os educandos [...] (EC: 87).

> Pois bem, o conhecimento desta visão do mundo dos camponeses, que contém seus "temas geradores" (que, captados, estudados, colocados num quadro científico a eles são devolvidos como temas problemáticos), implica uma pesquisa [...] (EC: 87).

TEMPO DE TRÂNSITO: Corresponde ao período necessário à mudança social.

> ➤ [...] o tempo de trânsito é mais do que simples mudança. Ele implica realmente esta marcha acelerada que faz a sociedade à procura de novos temas e de novas tarefas (EPL: 54).

TEMPO PERDIDO: Dependendo do ângulo pelo qual se observa o problema, esta questão pode ser vista de várias maneiras. Tempo perdido pode ser visto pelo extensionista que, ridicularizando a prática do diálogo, por achá-lo ingênuo e utópico, tenta impingir aos camponeses seus conhecimentos científicos e técnicos sem ao menos contextualizá-los. Tempo perdido é considerado o do puro verbalismo inócuo, onde a palavra, outrora geradora de conceitos e noções reais das coisas, se transforma em palavreado vazio e sem sentido. Tempo perdido, também, é o do ativismo cego, acrítico e, por isso mesmo, destituído de cientificidade. Não se considerará tempo perdido aquele gasto no diálogo que aproxima os homens e que diminui as distâncias de seus mundos, fazendo-os contemporâneos e iguais, para uma busca conjunta da verdade, dando-lhes oportunidade para se constituírem como sujeitos de transformação.

> ➤ Tempo perdido, do ponto de vista humano, é o tempo em que os homens são "reificados" (e até este, de um ponto de vista concreto e realista, não rigorosamente ético, não é um tempo perdido, posto que é onde se gera o novo tempo, de outras dimensões, no qual o homem conquistará a sua condição de homem).
>
> Tempo perdido, ainda que ilusoriamente ganho, é o tempo que se usa em blá-blá-blá, ou em verbalismo, ou em palavreado, como também é perdido o tempo de puro ativismo, pois que ambos não são tempo da verdadeira práxis (EC: 50).

Não há que considerar perdido o tempo de diálogos que, problematizando, critica e, criticando, insere o homem em sua realidade como verdadeiro sujeito da transformação [...] (EC: 51).

TEMPORALIDADE: Refere-se à passagem temporal do ser humano pela história do mundo, durante a qual, de forma consciente, interage com essa história, modifica-a, sendo por ela modificado.

➤ No ato de discernir, porque existe e não só vive, se acha a raiz, por outro lado, da descoberta de sua temporalidade, que ele começa a fazer precisamente quando, varando o tempo, de certa forma então unidimensional, atinge o ontem, reconhece o hoje e descobre o amanhã. Na história de sua cultura terá sido o tempo – o da dimensionalidade do tempo – um dos seus primeiros discernimentos... O homem existe – existere – no tempo. Está dentro. Está fora. Herda. Incorpora. Modifica. Porque não está preso a um tempo reduzido a um hoje permanente que o esmaga, emerge dele. Banha-se nele. Temporaliza-se (EPL: 49).

TEMPORIZAR: Entende-se que, com a tomada de consciência, o homem passa a contribuir para a construção da história da comunidade em que vive, situando-a no tempo e no espaço.

➤ [...] Na medida em que os homens, dentro de sua sociedade, vão respondendo aos desafios do mundo, vão temporalizando os espaços geográficos e vão fazendo história pela sua própria atividade criadora (EM: 33).

TEORIA DA NÃO EXTENSÃO DO CONHECI-MENTO: Significa o não-autoritarismo em sala de aula por meio do ensino democrático ou progressista que dá vez (e voz) à manifestação do interesse e da curiosidade do educando, expressa nas perguntas e na total interação aluno-professor. A *teoria da não extensão do conhecimento* se opõe ao discurso bancário, monológico, pois educar não é transferir conhecimento com clareza, mas instigar no aluno a curiosidade que busca e procura o conhecimento, isto é, que incita à curiosidade epistemológica.

V. EDUCAÇÃO LIBERTADORA; EDUCAÇÃO PROBLEMATIZADORA.

> ➤ Quando entro em uma sala de aula devo estar sendo um ser aberto a indagações, à curiosidade, às perguntas dos alunos, a suas inibições; um ser crítico e inquiridor, inquieto em face da tarefa que tenho – a de ensinar e não a de transferir conhecimento (PA: 52).
>
> Como professor num curso de formação docente não posso esgotar minha prática discursando sobre a Teoria da não extensão do conhecimento. [...] Ao falar da construção do conhecimento, criticando sua extensão, já devo estar envolvido nela, e nela, a construção, estar envolvendo os alunos (PA: 52-53).

TOLERÂNCIA: Não se trata de uma simples virtude passiva, de aceitação, mas reúne dois sentidos, estreitamente vinculados aos demais valores democráticos da igualdade e da liberdade: a tolerância como respeito às diferenças e à variedade da criatividade cultural e a tolerância como o reconhecimento pleno da igualdade em dignidade de todos – indivíduos ou grupos – apesar das diferenças. A tolerância democrática opõe-se ao autoritarismo e ao dogmatismo sob todas as suas formas – políticas, sociais, morais e científicas. Para a consciência democrática, a tolerância não será empecilho para denunciar e repudiar o intolerável, como a agressão aos diferentes, que leva ao racismo, ao sexismo, ao fundamentalismo religioso e outras formas de discriminação.

> No fundo, a discriminação, não importa fundada em quê, fere diretamente a democracia, que tem como um de seus sine qua a tolerância. A virtude que nos ensina a conviver com o diferente, a aprender com ele. Conviver com o diferente sem, obviamente, se considerar superior ou inferior a ele ou a ela, como gente (CC: 194).

A tolerância não é favor que "gente superior" faz a "gente inferior" ou concessão que a gente bondosa e caridosa faz a "gente carente". A tolerância é dever de respeitar o direito de todos de ser diferentes. A tolerância, porém, não me obriga a concordar se me oponho, por "n" razões, ao outro (CC: 194).

Não me obriga, esgotados todos os argumentos que defendo para não aceitar a posição do outro, a continuar, em nome da necessária dialogicidade do tolerante, uma conversa enfadonha e repetitiva, ineficaz e desgastante de ambos. [...] O tolerante [...] é tanto mais autêntico quanto melhor defenda suas posições, se convencido de seu acerto (CC: 194-195).

[...] virtude revolucionária que consiste na convivência com os diferentes para que se possa melhor lutar contra os antagônicos (PE: 39).

Para mim, tolerância não é conivência. Eu não posso poluir meu sonho político, minha utopia, fazendo uma dialogicidade rigorosa, profunda com os neoliberais, mas também não posso, sectariamente, me fechar a uma conversa com um neoliberal. O que não posso é fazer acordo com ele (PSP: 236).

TOMADA DE CONSCIÊNCIA: Resultado de um processo de conscientização que ocorre no ser humano, quando este interage e se defronta consigo mesmo e com o mundo, de maneira refletida e transformadora, pela ação e pelo trabalho.

> ➤ A educação que, para ser verdadeiramente humanista, tem que ser libertadora, não pode, portanto, caminhar neste sentido [da manipulação]. Uma de suas preocupações básicas, pelo contrário, deve ser o aprofundamento da tomada de consciência que se opera nos homens enquanto agem, enquanto trabalham (EC: 76).

A tomada de consciência, como uma operação própria do homem, resulta, como vimos, de sua defrontação com o mundo, com a realidade concreta, que se lhe torna presente como uma objetivação (EC: 77).

TRANSCENDÊNCIA: É a capacidade do homem de romper com o que lhe é dado. É a qualidade consciente do ser humano em reconhecer vários níveis existenciais, compreender-se inacabado e buscar sua plenitude no seu Criador, numa relação libertadora.

➤ O homem está no mundo e com o mundo. Se apenas estivesse no mundo não haveria transcendência nem se objetivaria a si mesmo. Mas como pode objetivar-se, pode também distinguir entre um eu e um não eu (EM: 30).

A sua transcendência, acrescente-se, não é um dado apenas de sua qualidade "espiritual" [...]. Não é o resultado exclusivo da transitividade de sua consciência, que o permite auto-objetivar-se e, a partir daí, reconhecer órbitas existenciais diferentes, distinguir um "eu" de um "não eu". A sua transcendência está também, para nós, na raiz de sua finitude. Na consciência que tem desta finitude. Do ser inacabado que é e cuja plenitude se acha na ligação com seu Criador. Ligação que, pela própria essência, jamais será de dominação ou de domesticação, mas sempre de libertação. [...] Exatamente porque, ser finito e indigente, tem o homem na transcendência, pelo amor, o seu retorno à sua Fonte, que o liberta (EPL: 48).

TRANSIÇÃO: É um conjunto de mudanças que faz com que a sociedade prossiga em busca de novos temas e de objetivação. A sociedade, constituída por suas crenças, valores, concepções, está em questionamento e reflexão constantes. Quando estas reflexões e mudanças provocam um rompimento do equilíbrio, as crenças e os valores decaem, surgindo novos valores que buscam a perfeição, a plenitude. Este período de busca da plenitude é chamado de transição.

V. TRÂNSITO.

➤ Não há transição que não implique um ponto de partida, um processo e um ponto de chegada. Todo amanhã se cria num ontem, através de um hoje. De modo que o nosso futuro baseia-se no passado e se corporifica no presente. Temos de saber o que fomos e o que somos, para saber o que seremos (EM: 33).

[...] Nutrindo-se de mudanças, a transição é mais que as mudanças. Implica realmente na marcha que faz a sociedade na procura de novos temas, de novas tarefas ou, mais precisamente, de sua objetivação [...] (EM: 65).

TRANSITIVIDADE CRÍTICA: É um processo que depende de uma educação dialogada e ativa, com responsabilidade social e política.

➢ A transitividade crítica por outro lado, a que chegaríamos com uma educação dialogal e ativa, voltada para a responsabilidade social e política, se caracteriza pela profundidade na interpretação dos problemas. Pela substituição de explicações mágicas por princípios causais. Por procurar testar os "achados" e se dispor sempre a revisões. Por despir-se ao máximo de preconceitos na análise dos problemas e, na sua apreensão, esforçar-se por evitar deformações. Por negar a transferência da responsabilidade. Pela recusa a posições quietistas. Por segurança na argumentação. Pela prática do diálogo e não da polêmica. Pela receptividade ao novo, não apenas porque novo e pela não recusa ao velho, só porque velho, mas pela aceitação de ambos, enquanto válidos. Por se inclinar sempre a arguições (EPL: 69-70).

TRÂNSITO: Configura o movimento da sociedade em busca de novos temas, de novas tarefas e de outra época.

V. TRANSIÇÃO.

> É este choque entre um ontem esvaziando-se, mas querendo permanecer, e um amanhã por se consubstanciar, que caracteriza a fase de trânsito como um tempo anunciador... Nutrindo-se de mudanças, o tempo de trânsito é mais do que simples mudança. Ele implica realmente esta marcha acelerada que faz a sociedade à procura de novos temas e de novas tarefas. E se todo Trânsito é mudança, nem toda mudança é Trânsito. As mudanças se processam numa mesma unidade de tempo histórico qualitativamente invariável, sem afetá-la profundamente. É que elas se verificam pelo jogo normal de alterações sociais resultantes da própria busca de plenitude que o homem tende a dar aos temas. Quando, porém, estes temas iniciam o seu esvaziamento e começam a perder significação e novos temas emergem, é sinal de que a sociedade começa a passagem para outra época (EPL: 54).

U

UNIVERSIDADE: É preciso investir na construção de uma instituição com identidade própria, acessível à maioria, que instigue o indivíduo a reformular pensamentos e a refletir criticamente sobre a realidade. O papel da Universidade, como instituição produtora/divulgadora de conhecimento, por meio do processo formativo da pesquisa e da prática pedagógica no desempenho profissional do educador, contribuirá para desmistificar a própria ideia de pesquisa como empreitada exclusiva apenas de alguns cientistas. Este será um caminho de ação democrática de construção/socialização do conhecimento, com a utilização das novas tecnologias, sob um olhar crítico e consciente, cumprindo o redimensionamento de seu papel no mundo de hoje.

> A universidade, no fundo, como tenho dito em trabalhos anteriores, mas que posso e devo repetir, tem de girar em torno de duas preocupações fundamentais, de que se derivam outras e que têm que ver com o ciclo de conhecimento. Este, por sua vez, tem apenas dois momentos que se relacionam permanentemente: um é o momento em que conhecemos o conhecimento existente; o outro, o em que produzimos o novo conhecimento. [...] O papel da universidade, seja ela progressista ou conservadora, é viver com seriedade os momentos desse ciclo. É ensinar, é formar, é pesquisar. O que distingue uma universidade conservadora de outra, progressista, jamais pode ser o fato de que uma ensina e pesquisa e a outra nada faz. [...] O que se quer é diminuir a distância entre a universidade ou o que se faz nela e as classes populares, mas sem a perda da seriedade e do rigor. Sem negligenciar diante do dever de ensinar e de pesquisar (CC: 175).

V

VALIDADE DO ENSINO: Reconhecida somente a partir da incorporação, do uso livre e reflexivo daquilo que foi ensinado ao estudante; quando a nova informação é tida como própria.

> ➤ [...] somente existe quando o aprendiz se tornou "capaz de recriar ou de refazer o ensinado", quando o ensinado foi apreendido pelo aprendiz (PA: 26).

VALORIZAÇÃO DO EDUCADOR: Ligada ao conceito de educação como prioridade, é direito do professor e seu dever enquanto luta. Cabe a ele usar sua voz para denunciar à coletividade a incoerência entre o discurso de valorização e a ação de pouco investimento e destinação de verbas à educação. Desmascarar esse discurso demagógico e engajar-se na exigência de uma postura de coerência e decência da política educacional do país é missão do professor democrático que tem, como projeto de vida, a transformação do quadro atual em um mais justo para todos.

> ➤ É o respeito à dignidade do professor, de uma pessoa sem a qual a educação não é prioridade. Valorizo algo ou alguém na medida em que o considero fundamental em relação aos meus objetivos e sonhos [...] valorizar o professor, no meu caso, não é só uma obrigação ética, mas sim uma obrigação política que se fundamenta na ética. Se nós não valorizarmos os educadores, teremos poucas possibilidades de fazer deste, um

país melhor. Agora, a valorização não pode ficar na teoria, não se trata apenas do discurso sobre a valorização, mas sim da prática deste discurso (PSP: 228).

VERDADEIRA APRENDIZAGEM: Ocorre quando há apropriação do aprendido por parte do educando.

V. APRENDIZAGEM.

> [...] transforma os educandos em reais sujeitos da construção e da reconstrução do saber ensinado, ao lado do educador, igualmente sujeito do processo (PA: 29).

Referências

BARBOSA, Maria Aparecida. Contribuição ao estudo de aspectos da tipologia de obras lexicográficas. *Ciência da Informação*. Vol. 24, n. 3, 1995.

FREIRE, Paulo. *Educação como prática da liberdade*. 24. ed. Rio de Janeiro: Paz e Terra, 2000.

_____. *Cartas a Cristina*: reflexões sobre minha vida e minha práxis. 2. ed. São Paulo: Unesp, 2003.

_____. *Educação e mudança*. 7. ed. Rio de Janeiro: Paz e Terra, 1983.

_____. *Extensão ou comunicação?* 10. ed. Rio de Janeiro: Paz e Terra, 1992.

_____. *Pedagogia da autonomia*: saberes necessários à prática educativa. Rio de Janeiro: Paz e Terra, 1996.

_____. *Pedagogia da esperança*. 7. ed. Rio de Janeiro: Paz e Terra, 2000.

_____. *Pedagogia do oprimido*. 17. ed. Rio de Janeiro: Paz e Terra, 1987.

_____. *Pedagogia dos sonhos possíveis*. São Paulo: Editora Unesp, 2001 [Ana Maria Araújo Freire (org.)].

FREIRE, Paulo & GUIMARÃES, Sérgio. *Aprendendo com a própria história*. Vol. 1. Rio de Janeiro: Paz e Terra, 1987.

FREIRE, Paulo & MACEDO, Donaldo. *Alfabetização: leitura do mundo leitura da palavra*. 2. ed. Rio de Janeiro: Paz e Terra, 1994.

FOUCAULT, Michel. *A ordem do discurso*. 4. ed. São Paulo: Loyola, 1988.

ORLANDI, Eni. *A linguagem e seu funcionamento*: as formas do discurso. 2. ed. Campinas: Pontes, 1987.

_____. *Análise do discurso*. Campinas: Pontes, 2000.

PEY, Maria Oly. *A escola e o discurso pedagógico*. São Paulo: Cortez, 1988.

A educação pode mudar a sociedade?

Michael W. Apple

Apesar das grandes diferenças políticas e ideológicas em relação ao papel da educação na produção da desigualdade, há um elemento comum partilhado tanto por professores quanto por liberais: A educação pode e deve fazer algo pela sociedade, restaurar o que está sendo perdido ou alterar radicalmente o que existe?

A questão foi colocada de forma mais sucinta pelo educador radical George Counts em 1932, quando perguntou: "A escola ousaria construir uma nova ordem social?", desafiando gerações inteiras de educadores a participar, ou, de fato, a liderar a reconstrução da sociedade.

Mais de 70 anos depois, o celebrado educador, autor e ativista Michael Apple revisita os trabalhos icônicos de Counts, compara-os às vozes igualmente poderosas de pessoas minorizadas, e, mais uma vez, faz a pergunta aparentemente simples: se a educação realmente tem o poder de mudar a sociedade.

Michael W. Apple é Professor *John Bascom* de Currículo e Instrução e Estudos de Política Educacional na University of Wisconsin, Madison, EUA.

Conecte-se conosco:

- **f** facebook.com/editoravozes
- **[O]** @editoravozes
- **🐦** @editora_vozes
- **▶** youtube.com/editoravozes
- **🟢** +55 24 2233-9033

www.vozes.com.br

Conheça nossas lojas:

www.livrariavozes.com.br

Belo Horizonte – Brasília – Campinas – Cuiabá – Curitiba
Fortaleza – Juiz de Fora – Petrópolis – Recife – São Paulo

EDITORA VOZES LTDA.
Rua Frei Luís, 100 – Centro – Cep 25689-900 – Petrópolis, RJ
Tel.: (24) 2233-9000 – E-mail: vendas@vozes.com.br